i

"Welsh Sentence Builders A Lexicogrammar approach" Beginner – Pre-intermediate

Answer Book

This is the answer booklet for "Welsh Sentence Builders – A Lexicogrammar approach. Beginner – Pre-intermediate".

It contains answers for all exercises and follows the exact order of the original book. To further make this book user-friendly there is a reference to which page a particular page relates to in the original – student book, at the start of each unit section.

We hope that you enjoy using it and that your students enjoy working with "Welsh Sentence Builders – A Lexicogrammar approach".

Thanks,

Gianfranco Conti, Dylan Viñales, Barri Moc, Mathias Maurer
Glenn Wall, Carys Swain & Heledd Nest

ISBN: 9783949651199

FIRST EDITION

Imprint: Independently Published
By Gianfranco Conti, Dylan Viñales, Barri Moc, Mathias Maurer
Glenn Wall, Carys Swain & Heledd Nest

TABLE OF CONTENTS

Unit 1 - Talking about my age

VOCABULARY BUILDING (Page 3)

1. Match up: un – one **dwy** – two **tair** – three **pedair** – four **pump** – five **chwech** – six **saith** – seven **wyth** – eight **naw** – nine **deg** – ten **un ar ddeg** – eleven **un deg dau** - twelve

2. Complete with the missing words: a. un deg pedwar b. bedair c. enw d. e'n/o'n e. fy f. mrawd

3. Translate into English: a. I'm three b. I'm five c. I'm eleven d. I'm fourteen e. I'm ten f. I'm eight g. My brother h. My sister i. My name

4. Broken words: a. Mae o'n b. Fy enw c. Fy chwaer d. un deg pump e. un deg chwech f. un deg un g. naw h. un deg pedwar i. un deg dau

5. Rank: 1. Mae Sioned yn bedair. 2. Mae Rhodri'n chwech. 3. Mae Delyth yn saith. 4. Mae Catrin yn naw. 5. Mae Gareth yn ddeg. 6. Mae Berwyn yn un deg tri. 7. Mae Siân yn un deg pump. 8. Mae Sara'n un deg wyth.

6. For each pair of ages, choose which one is older: a. B b. B c. A d. A e. B f. B g. A

READING (Page 4)

1. Find the Welsh for the following items in Bleddyn's text: a. Cymro ydw i. b. Fy enw ydy c. Prifddinas d. Yng Nghaerdydd e. O'r enw Steffan f. Dw i'n un deg un g. Yn ddeg

2: Answer the following questions about Robert: a. Scotland b. ten c. 2 d. Aria and Blair

3. Complete the table below:

Mark: Age – 13 **Nationality** – Irish **How many siblings** – 1 **Ages of siblings** – 15

Bleddyn: Age – 11 **Nationality** - Welsh **How many siblings** – 1 **Ages of siblings** – 10

Robert: Age – 10 **Nationality** - Scottish **How many siblings** – 2 **Ages of siblings** – 4 and 9

4: Hans, Kellie or Marine?: a. Hans b. Hans c. Kellie d. Marine e. Hans

TRANSLATION (Page 5)

1. Faulty translation: a. My name is Catrin. b. I have two sisters. c. My sister's name is Bethan. d. My brother is 5. e. I'm four. f. My brother is eight. g. I don't have a brother . h. I'm 16. i. I'm 12. j. My name is Gareth.

2. Translate into English: a. I'm seven. b. Arwen is nine. c. I'm fifteen. d. I live in Cardiff. e. My brother's name is John. f. Mari is twelve. g. I have a brother and sister. h. My brother is six. i. My sister's name is Manon. j. My sister is fourteen

3. Translate into Irish: a. Dw i'n un deg pedwar. b. Dw i'n un deg dau. c. Mae fy chwaer, Claire, yn ddeg. d. Enw fy chwaer ydy Arwen. e. Mae fy mrawd yn un deg pump. f. Fy enw ydy Dafydd a dw i'n chwech. g. Fy enw ydy Rhian a dw i'n un deg tri. h. Fy enw ydy Aled a dw i'n un deg un. i. Fy enw ydy Siân a dw i'n ddeg. Mae fy mrawd yn bump.

WRITING (Page 6)

1. Complete the words: a. Fy **e**nw ydy Dewi. b. Dw i'n bed**air**. c. **M**ae Dewi'n ch**wech**. d. **E**nw fy m**r**awd ydy Gareth. e. Fy e**nw y**dy Sioned. f. **E**nw fy ch**waer y**dy Sara. g. **D**w **i**'n **un d**eg un. h. **E**nw fy **ch**waer ydy Rhian.

2. Write out the numbers in Welsh: a. naw b. saith c. un deg dau d. pump e. un deg pedwar f. un deg chwech g. un deg tri h. un deg un

3. Spot and correct the spelling mistakes: a. enw b. wyth c. mrawd d. chwaer e. Fy f. ydy

4. Complete with a suitable word: a. ydy b. Mae c. enw d. chwaer e. mrawd f. yn

5. Write a paragraph for Samantha, Rhian, Richard and Aimée using FIRST person:

Samantha: Fy enw ydy Samantha a dw i'n un deg dau. Dw i'n byw yn Llundain/London. Saesnes ydw i. Enw fy mrawd ydy Ian ac mae e'n/o'n naw. Enw fy chwaer ydy Ann ac mae hi'n naw.

Rhian: Fy enw ydy Rhian a dw i'n un deg pump. Dw i'n byw ym Mangor. Cymraes ydw i. Enw fy mrawd ydy Jamie ac mae e'n/o'n un deg tri. Enw fy chwaer ydy Fflur ac mae hi'n bump.

Richard: Fy enw ydy Richard a dw i'n un deg un. Dw i'n byw yn Glasgow. Albanwr ydw i. Enw fy mrawd ydy Stephen ac mae e'n/o'n saith. Enw fy chwaer ydy Amanda ac mae hi'n un deg dau.

Aimée: Fy enw ydy Aimée a dw i'n ddeg. Dw i'n byw ym Mharis. Frances ydw i. Enw fy mrawd ydy Tristan ac mae e'n/o'n chwech. Enw fy chwaer ydy Bernadette ac mae hi'n un.

6. Describe these people as your family: Enw fy mam ydy Betsan. Mae hi'n bedwar deg. Enw fy mrawd ydy Gethin ac mae e'n/o'n un deg dau. Enw fy chwaer ydy Sara. Mae Sara'n saith.

Unit 2 - Saying when my birthday is

VOCABULARY BUILDING (Page 9)
1. Complete with the missing words: a. enw b. fy c. Enw d. deg e. un deg wyth
f. Orffennaf g. mhen-blwydd h. Mae
2. Match up: Ebrill – April **Tachwedd** – November **Rhagfyr** – December **Mai** – May **Ionawr** –
January **Chwefror** – February **Fy mhen-blwydd** – My birthday **Fy ffrind** – my friend **Fy enw** – My
name **Ei ben-blwydd** – His birthday **Ei phen-blwydd** – Her birthday
3. Translate into English: a. On January 4 b. On May 8 c. On February 7 d. On March 20 e. On
August 19 f. On June 30 g. On September 11 h. On April 29
4. Add the missing letters: a. pen-blwydd b. Chwefror c. Mawrth d. Mai e. Ebrill f. Gorffennaf
g. Ionawr h. Awst i. Mehefin j. Tachwedd k. Rhagfyr l. Hydref
5. Broken Words: a. Ar Ionawr tri b. Ar Orffennaf pump c. Ar Awst naw d. Ar Ebrill un deg chwech
e. Ar Fawrth un deg dau f. Ar Ragfyr un deg naw g. Ar Fedi tri deg h. Ar Hydef daud deg i. Ar Fai
dau ddeg pedwar.
6. Complete with a suitable words: a. enw b. mhen-blwydd c. un deg un (or any number) d. mrawd,
nhad e. Mae f. ben-blwydd g. fy h. ydy i. ar j. phen-blwydd

READING (Page 10)
1. Find the Welsh for the following items in Ioan's text: a. Fy enw ydy b. Dw i'n un deg dau c. Dw
i'n dod o Benarth d. Mae fy mhen-blwydd e. Ar Fedi 12 f. Fy ffrind g. Mae ei phen-blwydd ar h.Yn
fy amser sbâr i. Enw fy mam ydy j. Mae hi'n dri deg pump oed k. Ar Fehefin 21 l. Mae gan fy mam
frawd mawr m. Ar Ionawr 8
2. Complete with the missing word: a. Dw i'n b. dod c. mhen-blwydd d. fy e. ydy f. ben-blwydd
3: Answer the questions about Mercedes: a. 17 b. Chile c. December 5 d. 2 e. Julio f. 13 g.
January 5
4. Find someone who: a. Mercedes b. Steffan c. Antonio d. Ioan e. Steffan f. Vidal g. Antonio h.
Mercedes i. Steffan

WRITING (Page 11)
1. Complete the letters: a. Fy **enw ydy** Peter. b. Dw i'n **d**od o Raeadr. c. Dw **i'n un** deg **ped**war.
d. **E**nw **fy** ff**rind** ydy Claire. e. Mae Pedr yn **d**od o Gaerdydd. f. **M**ae Michael yn dri **deg** pump.
g. **M**ae fy mh**en-blwydd** ar F**ed**i pump. h. **M**ae **fy** ff**rind** yn **dod** o Bontgarreg.
2. Spot and correct the spelling mistakes: a. fy **mh**en-blwydd b. **y**dy c. o Gaerdyd**d** d. fy **f**frind
e. **yn** f. **b**edair g. ar Fawr**th** h. pe**d**war
3. Answer the questions in Welsh: a. Dw i'n dod o… b. Fy enw ydy… c. Dw i'n… d. Mae fy
mhen-blwydd ar… e. Mae fy mrawd/chwaer yn…
4 : Write out the dates below in words: a. Mai 15 b. Mehefin 10 c. Mawrth 20 d. Chwefror 19
e. Rhagfyr 25 f. Ionawr 1 g. Tachwedd 22 h. Hydref 14
5. Write a paragraph for Samuel, Ally, Aindriú and Carl ausing FIRST person:
Sam: Fy enw ydy Sam. Dw i'n dod o Rhyl. Dw i'n un deg un ac mae fy mhen-blwydd ar Ragfyr 25.
Enw fy mrawd ydy Dewi ac mae ei ben-blwydd ar Chwefror 19.

Anna: Fy enw ydy Anna. Dw i'n dod o Lundain. Dw i'n un deg pedwar ac mae fy mhen-blwydd ar Orffennaf 21. Enw fy mrawd ydy Phillip ac mae ei ben-blwydd ar Ebrill 21.

Gwladys: Fy enw ydy Gwladys. Dw i'n dod o Chebut. Dw i'n un deg dau ac mae fy mhen-blwydd ar Ionawr 1. Enw fy mrawd ydy Jorge ac mae ei ben-blwydd ar Fehefin 20.

Carl: Fy enw ydy Carl. Dw i'n dod o Fangor. Dw i'n un deg chwech ac mae fy mhen-blwydd ar Dachwedd 2. Enw fy mrawd ydy Michael ac mae ei-ben-blwydd ar Hydref 12.

6. Describe this person in the third person: Enw fy ffrind ydy Arwen ac mae hi'n un deg dau. Mae hi'n dod o Gaernarfon ac mae ei phen-blwydd ar Fehefin 21.

TRANSLATION (Page 12)

1. Faulty translation: a. His birthday is on April 7. b. My name is Robert and I'm from Bangor. c. I'm 21. d. My friend's name is John. e. I'm 26. f. Her birthday is on April 14. g. I'm from Wrexham.

2. Translate into English: a. On October 8. b. My birthday is on… c. My friends name is… d. His birthday is on… e. Her birthday is on… f. On February 4. g. On December 25. h. On June 18. i. On May 28.

3. Phrase – level translation: a. Dw i'n ddeg. b. Ar Fai saith. c. Ar Ebrill dau ddeg naw. d. Ar Awst dau ddeg tri. e. Mae hi'n un deg dau. f. Fy enw ydy… g. Mae ei phen-blwydd ar… h. Enw fy ffrind ydy… i. Mae fy mhen-blwydd ar…

4. Sentence-level translation: a. Fy enw ydy Edward. Dw i'n dri deg. Dw i'n dod o Gasnewydd. Mae fy mhen-blwydd ar Fawrth un deg un. b. Enw fy mrawd ydy Peter. Mae e'n/o'n n deg pedwar. Mae ei ben-blwydd ar Awst un deg wyth. c. Enw fy ffrind ydy Siôn. Mae e'n dau ddeg dau ac mae ei pen-blwydd ar Ionawr dau ddeg un. d. Enw fy ffrind ydy Angela. Mae hi'n un deg wyth ac mae ei phen-blwydd ar Orffennaf dau ddeg pump. e. Enw fy ffrind ydy Anthony. Mae e'n/o'n ddau ddeg. Mae ei ben-blwydd ar Fedi dau ddeg pedwar.

VOCABULARY BUILDING (Page 15)

1. Complete with the missing word: a. brown b. golau c. farf d. glas e. sbectol
f. hir g. gwyrdd h. coch

2. Match up: llygaid glas – blue eyes **llygaid gwyrdd** – green eyes **gwallt coch** – red hair
mwstas – moustache **sbectol** – glasses **gwallt du** – black hair **gwallt byr** – short hair **gwallt golau** –
blonde hair **gwallt brown** – brown hair **gwallt hir** – long hair

3. Translate into English: a. Curly hair b. Blue eyes c. I wear glasses d. Blonde hair e. Green eyes
f. Red hair g. Black hair h. Brown hair

4. Add the missing letter: a. gwisgo b. mwstas c. du d. barf e. glas f. gwyrdd g. gwallt h. byr
i. brawd j. hir k. llygaid l. cyrliog

5. Broken words: a. Mae gen i wallt cyrliog. b. Dw i'n gwisgo sbectol. c. Mae gen i wallt byr.
d. Mae gen i fwstas. e. Mae gen i lygaid brown. f. Mae gen i farf. g. Dw i'n wyth. h. Fy enw ydy
Mari. i. Dw i'n naw.

6. Complete with a suitable word: a. un deg un (or any suitable number) b. gen c. enw
d. sbectol/sbectol haul/het/hijab e. wallt f. Dw i'n g. gen h.Mae i. wallt j. lygaid k. ydy l. i'n

READING (Page 16)

1. Find the Welsh for the following items in Marta's text: a. Fy enw ydy b. yn c. Dw i'n gwisgo
sbectol. d. Mae fy mhen-blwydd e. Ar Fedi 10 f. Mae gen i g. syth h. du i. llygaid

2. Answer the questions about Inma's text: a. 15 years old b. Bolivia c. December 5 d. Red e.
Long f. Blue g. Yes

3. Complete with the missing words: a. un deg tri (or any suitable number) b. byw c. gen d. brown
(or any suitable colour) e. byr (or any suitable adjective) f. gwisgo g. Mae

4. Find someone who: a. Alec b. Alina c. Alina d. Marta, Inma, Travis, Alina, Patel, Pedr e. Inma
f. Alina g. Pedr h. Alec

TRANSLATION (Page 17)

1. Faulty translation: a. I have blue eyes. b. He has black eyes c. He has a moustache. d. My friend's
name is Pedr. e. I have short hair. f. She has green eyes. g. I'm from Cardiff.

2. Translate to English: a. I have brown hair. b. I have blue eyes. c. He has straight hair. d. I wear
glasses. e. He has a beard. f. I wear sunglasses. g. She has brown eyes. h. I have curly hair. i. She
has long hair.

3. Phrase – level translation: a. gwallt golau b. fy enw ydy c. mae gen i d. llygaid glas e. gwallt
syth f. mae ganddo fe/fo g. deg h. gwallt du i. Dw i'n naw j. llygaid brown i. llygaid gwyrdd

4. Sentence-level translation: a. Fy enw ydy Mark. Dw i'n ddeg. Mae gen i wallt du a chyrliog a
llygaid glas. b. Dw i'n un deg dau. Mae gen i lygaid gwyrdd ac mae gen i wallt golau, syth. c. Fy enw
ydy Anna. Dw i'n dod o Aberystwyth. Mae gen i wallt golau hir a llygaid brown. d. Fy enw ydy
Padrig. Dw i'n dod o Rhyl. Mae gen i wallt du a thonnog. e. Dw i'n un deg pump. Mae gen i wallt du a
chyrliog a llygaid gwyrdd. f. Dw i'n un deg tri. Mae gen i wallt coch a hir a llygaid brown.

WRITING (Page 18)

1. Split sentences: Mae gen i wallt **hir**. Dw i'n gwisgo **sbectol**. Mae gen i **lygaid glas**. Mae ganddi hi **wallt du**. Mae gen i wallt coch **a chyrliog**. Fy enw ydy **Martin**. Dw i'n **ddeg**.

2. Rewrite the sentences in the correct order: a. Mae gen i lygaid glas. b. Dw i'n gwisgo sbectol. c. Fy enw ydy Claire. d. Mae ganddo fo wallt du. e. Enw fy mrawd ydy James. f. Mae gen i lygaid du.

3. Spot and correct the grammar and spelling mistakes: a. glas b. brawd c. ganddi d. ffrind e. Dw f. syth g. ganddo h. farf i. sbectol j. fwstas

4. Anagrams: a. Llygaid b. Cyrliog c. Hir d. Gwyrdd e. Coch f. Byr g. Sbectol h. Pigog

5. Write a paragraph for Laura, Ana and Brian using FIRST person:

Louis: Fy enw ydy Louis a dw i'n ddau ddeg. Mae gen i wallt brown a chyrliog. Mae gen i lygaid gwyrdd. Dw i ddim yn gwisgo sbectol. Mae gen i farf. Mae gen i fwstas.

Ann: Fy enw ydy Ann a dw i'n un deg un. Mae gen i lygaid golau a syth. Mae gen i lygaid glas. Dw i'n gwisgo sbectol.

Alec: Fy enw ydy Alec a dw i'n ddeg. Mae gen i wallt coch a thonnog. Mae gen i lygaid brown. Dw i'n gwisgo sbectol. Mae gen i farf

6. Describe this person in the third person: Enw fy ffrind ydy Hari. Mae e'n un deg pump. Mae ganddo fe/fo wallt du a chyrliog. Mae ganddo fe/fo lygaid brown. Mae e'n gwisgo sbectol. Mae ganddo fe/fo farf.

VOCABULARY BUILDING (Page 21)

1. Complete with the missing word: a. mewn b. fflat c. Gaerdydd d. Dw
e. adeilad f. cyrion g. byw h. i'n

2. Match up: yng nghanol – in the centre **hardd** – beautiful **mawr** – big **adeilad** – building
hen - old **ar lan y môr** – on the seaside **hyll** – ugly **Cymru** – Wales **ffermdy** – farmhouse
ar y cyrion – on the outskirts **bychan** – small **dod o** – come from

3. Translate into English: a. I'm from Bala b. Small house c. I live in a house d. I'm from Porthcawl
e. in a modern building f. Capital city of Wales g. I live on the seaside h. I live in the midlands

4. Add the missing letter: a. Bang**o**r b. Aber**t**awe c. Por**th**cawl d. Rhaeadr e. Aber**y**stwyth
f. Y Bala g. Ty**dd**ewi h. Arian**n**in i. Cas**n**ewydd j. Wre**c**sam

5. Broken words: a. Dw i'n dod o'r Bala, tref yn y gogledd. b. Dw i'n byw mewn tŷ newydd. c. Dw
i'n dod o Gaerdydd, prifddinas Cymru. d. Dw i'n dod o Borthcawl, tref ar lan y môr. e. Dw i'n byw
mewn tŷ bychan. f. Dw i'n dod o Drelew, yr Ariannin. g. Dw i'n dod o Raeadr, yn y canolbarth.

6. Complete with a suitable word: a. o b. byw c. adeilad d. cyrion e. prifddinas f. tŷ (or any
suitable word) g. Abergwaun (or any suitable place) h. hardd (or any suitable adjective) i. dinas
j. cefn gwlad

GEOGRAPHY TEST (Page 22)

Wales: 1. Caerdydd 2. Bangor 3. Aberystwyth 4. Tyddewi 5. Casnewydd 6. Abertawe 7. Llanelwy
8. Y Bala 9. Wrecsam 10. Rhaeadr
World: 1. Cymru 2. Canada 3. Yr Ariannin

READING (Page 23)

1. Find the Welsh for the following items in Isabela's text: a. Fy enw ydy b. Dw i'n ddau ddeg un
c. dw i'n byw yn d. fflatiau mawr e. ar y cyrion f. ar Fehefin 2 g. Mae gen i gi h. mae e'n fawr iawn
i. Mae pen-blwydd y ci ar Ebrill 1 j. yn dair k. Hefyd, mae gen i bry cop

2. Complete the statements about Carl: a. 22 b. August 9 c. Caerphilly d. middle e. silly/very silly
f. lives g. building

3. Answer the questions based on the four texts: a. 15 b. twins c. Carl d. Isabela e. Carl f. Isabela
g. Jose and Isabela

4. Correct the statements about José's text: a. Mae José yn byw yn Nhrelew. b. Mae pump person
yn nheulu José. c. Mae pen-blwydd José ar Fai 9. d. Mae pen-blwydd Elena ar Fawrth 30. e. Maen
nhw'n byw mewn tŷ mawr, pert ar yr arfordir. f. Mae José yn hoffi byw yno.

TRANSLATION/WRITING (Page 24)

1. Translate into English: a. I live b. In a house c. A new house d. Beautiful e. Big f. In a building
g. Old h. Farmhouse i. In the town centre j. On the outskirts k. On the seaside

2. Gapped sentences: a. mawr b. adeilad c. tŷ d. Pentref e. Dw i'n dod

3. Complete the sentence with a suitable word: a. Fangor b. Ariannin c. tŷ/byngalo/ffermdy –
cyrion d. adeilad e. dod – tref f. mawr (or any suitable adjective)

4. Phase-level translation: a. Dw i'n byw mewn b. Dw i'n dod o c. Tŷ d. Tŷ mawr e. Hyll f. Bychan g. Mewn hen adeilad h. Yng nghanol y dre i. Ar y cyrion j. Ar yr arfordir k. O'r Bala

5. Sentence-level translation: a. Dw i'n dod o Little Haven, pentref ar lan y môr yn y gorllewin. Dw i'n byw mewn tŷ mawr hardd ar y cyrion. b. Dw i'n dod o Buenos Aires, prifddinas yr Ariannin. Dw i'n byw mewn tŷ bychan, hyll yng nghanol y dref. c. Dw i'n dod o Wrecsam, tref fawr yn y gogledd-ddwyrain. Dw i'n byw mewn byngalo newydd yng nghanol y dref. Mae'r byngalo yn fawr ac yn hyll. d. Dw i'n dod o Abertawe, dinas yn y de. Dw i'n byw mewn fflat mewn hen adeilad ar y cyrion. Mae'r fflat yn fawr ac yn hardd.

WRITING (Page 25)

1. Complete with the missing letters: a. Fy **e**n**w** ydy Gareth. b. Dw **i'n** by**w** mewn tŷ hardd. c. **Dw** i'n byw m**ewn** fflat f**awr**. d. **Dw i'n** byw m**ewn** tŷ ar y cy**rion**. e. Dw i'n d**od** o **Gaer**ffili, yn y cym**oedd**. f. Dw i'n dod o Raeadr, yn y can**o**lbarth g. Dw i'n b**yw** mewn tŷ b**ychan** ar l**a**n y môr. h. Dw i'n **do**d o Drelew, y**r** Ariannin.

2. Spot and correct the spelling mistakes: a. i'n b. byw c. mawr d. fflat e. adeilad f. gogledd g. Cymru h. dinas

3. Answer the questions in Welsh: a. Fy enw ydy… b. Dw i'n… c. Mae fy mhen-blwydd ar… d. Dw i'n dod o… e. Dw i'n byw yn… f. Dw i'n byw mewn…

4. Anagrams: a. Caerdydd b. Abertawe c. Casnewydd d. Y Bala e. Llanelwy f. Cymru g. Rhaeadr h. Porthcawl i. Tyddewi j. Wrecsam

5. Write 4 paragraphs using first person:
Sam: Fy enw ydy Sam a dw i'n un deg dau. Mae fy mhen-blwydd ar Fehefin 20. Dw i'n dod o Drelew, yr Ariannin. **Siân:** Fy enw ydy Siân a dw i'n un deg pedwar. Mae fy mhen-blwydd ar Dachwedd 14. Dw i'n dod o Gaerdydd, De Cymru. **Anna:** Fy enw ydy Anna a dw i'n un deg un. Mae fy mhen-blwydd ar Ionawr 17. Dw i'n dod o Aberystwyth, Gorllewin Cymru. **Carl:** Fy enw ydy Carl a dw i'n un deg tri. Mae fy mhen-blwydd ar Ionawr 17. Dw i'n dod o Gasnewydd, De-Ddwyrain Cymru. **Brân:** Fy enw ydy Brân a dw i'n un deg pump. Mae fy mhen-blwydd ar Hydref 19. Dw i'n dod o Lanelwy, Gogledd Cymru.

6. Describe this person in the third person: Enw fy ffrind ydy Llinos. Mae hi'n un deg chwech oed. Mae ei phen-blwydd ar Fai 15. Mae hi'n dod o Drelew, yr Ariannin. Mae hi'n byw yn Abertawe, De Cymru.

Unit 5 - Talking about my family members

VOCABULARY BUILDING (Page 28)

1. Complete with the missing words: a. nheulu b. pump c. nhad-cu/nhaid d. bum deg
e. mam f. mam-gu/nain g. dod

2. Match up the years: deg – 10 **un deg dau** – 12 **dau ddeg un** – 21
un deg chwech – 16 **tri deg tri** – 33 **pum deg dau**– 52 **pedwar deg wyth** – 48 **un deg tri** – 13
pump – 5 **un deg pump** – 15

3. Translate into English: a. I get on well b. I don't get on well c. With my grandma, Gwen d. There
are 5 people e. My dad f. My grandad g. In my family h. He is sixty

4. Add the missing letter: a. teulu b. mam-gu c. o bobl d. fy nhaid e. brawd f. modryb g. **ch**waer
h. mawr i. ewythr j. yn **dd**a

5. Broken words: a. Mae chwech o bobl yn fy nheulu b. Mae fy chwaer yn un deg dau c. Yn fy
nheulu mae gen i d. Enw fy nghefnder ydy e. Mae fy nhad yn bum deg pump f. Dw i ddim yn dod
ymlaen yn dda gyda fy mrawd

6. Complete with a suitable word: a. nheulu b. gen c. ddeg/un deg un (any number) d. un/dau (any
single digit number) e. modryb/chwaer/mam – un/dau (any single digit number)   f. tri/pedwar (any
single digit number)   g. bobl h. dod   i. efo/gyda

VOCABULARY DRILLS (Page 29)

1. Match up: yn fy – in my **teulu** – family **mae** – there are **saith** – seven **nain** – gran
gyda/efo – with

2. Complete with the missing word: a. Mae b. nhad, deg c. un deg wyth d. hi'n e. pedwar
f. mam-gu/nain, wyth g. dod h. ymlaen

3. Translate into English: a. She is 90 b. She is 73 c. In my family, I have d. There are 8 people in
my family e. My little sister is five f. My dad is 65 g. I don't get on well with my sister

4. Complete with the missing letters: a. **ma**wr b. nheulu, **tri**, bobl c. e**wyth**r, **yn**, **be**dwar, **deg**
d. d**od**, y**ml**aen, gyda e. nghe**f**nder, deg, pu**mp** f. un, deg, w**yth**

5. Translate into Welsh: a. Yn fy nheulu b. Mae c. Mae fy nhad yn d. pedwar deg e. Dw i'n dod
ymlaen yn dda gyda

6. Spot and correct the mistakes: a. chwaer b. mawr c. Mae d. un e. bedwar f. ymlaen

TRANSLATION (Page 30)

1. Match up: cant – 100   **chwe deg** – 60   **dau ddeg** – 20 **wyth deg** – 80 **pedwar deg**– 40
pum deg – 50 **saith deg** – 70   **tri deg** – 30 **naw deg** - 90

2. Write out in Welsh: a. tri deg pump b. chwe deg tri c. wyth deg naw d. saith deg pedwar e. naw
deg wyth f. cant g. wyth deg dau h. dau ddeg pedwar i. un deg saith

3. Write out with the missing number: a. dri deg un b. bum deg saith c. bedwar deg wyth d. gant
e. chwe deg dau f. naw deg g. bedwar deg pedwar

4. Correct the translation errors *in the Welsh*: a. Dw i'n bedwar deg un b. Mae fy nhad yn bedwar
deg c. Dyn ni'n bedwar deg dau d. Mae fy mam yn bum deg dau e. Maen nhw'n dri deg pedwar

5. Translate into Welsh: a. Fy enw ydy Ruby a dw i'n ddau ddeg saith b. Mae chwech o bobl yn fy nheulu c. Enw fy nhad ydy Pedr ac mae e'n/o'n bedwar deg wyth d. Enw fy mam ydy Susana ac mae hi'n bedwar deg tri e. Enw fy chwaer fawr ydy Janet ac mae hi'n dri deg un f. Enw fy chwaer fach ydy Amelia ac mae hi'n un deg wyth g. Enw fy nhad-cu/nhaid ydy Antony ac mae e'n/o'n wyth deg saith

WRITING (Page 31)

1. Spot and correct the spelling mistakes, as shown in the example: a. pedwar deg b. pum deg tri c. wyth deg dau d. dau ddeg un e. naw deg f. saith deg g. chwe deg saith h. saith deg tri

2. Complete with the missing letter: a. Mae fy ewyth**r** yn s**a**ith deg **un** b. Mae **fy** nhad yn **b**um deg tri c. Ma**e fy** modryb yn chwe **d**eg wyth d. M**a**e fy **ch**waer yn u**n** deg wyth e. Mae fy ng**h**efnder yn **d**dau **d**deg pum**p**. f. Mae fy **m**rawd a chwaer **yn** un deg saith

3. Rearrange the sentences in the correct word order: a. Mae pedwar o bobl yn fy nheulu b. Dw i ddim yn dod ymlaen yn dda gyda fy mrawd c. Mae fy nhad, Padrig, yn bum deg dau d. Yn fy nheulu, mae gen i fy mam, fy nhad a fi e. Mae fy nghefnder, Berwyn, yn dri deg saith f. Mae fy nhad-cu, Fred, yn wyth deg saith

4. Complete: a. yn fy nheulu b. mae   c. fy mam   e. fy nhad f. Dw i'n chwe deg h. mae e'n bedwar deg i. mae hi'n bum deg j. enw fy nhad ydy

5. Write a relationship sentence for Steve, Angela, Betsan, Siôn and Siân:

Steve: Enw fy nhad ydy Steve. Mae e'n/o'n bum deg saith. Dw i ddim yn dod ymlaen yn dda gyda fe/efo fo.

Angela: Enw fy mam ydy Angela. Mae hi'n bedwar deg pump. Dw i'n dod ymlaen yn dda gyda hi/efo hi .

Betsan: Enw fy modryb ydy Betsan. Mae hi'n chwe deg. Dw i'n dod ymlaen yn dda gyda hi/efo hi

Siôn: Enw fy ewythr ydy Siôn. Mae e'n/o'n chwe deg saith. Dw i ddim yn dod ymlaen yn dda gyda fe/efo fo

Siân: Enw fy nhad-cu/nhaid ydy Siân. Mae e'n/o'n saith deg pump. Dw i'n dod ymlaen yn dda gyda fe/efo fo.

Revision Quickie 1 (Page 32)

1. Match up: 11 – un deg un   **12** – un deg dau   **13** – un deg tri **14** – un deg pedwar **15** – un deg pump **16** – un deg chwech **17** – un deg saith **18** – un deg wyth **19** – un deg naw **20** – dau ddeg

2. Translate into English: a. On the 20th of June b. On the 18th of July c. On the 29th of Sept d. On the 17th of Mar e. On the 25th of Dec f. On the 21st of Jan g. On the 20th of Apr h. On the 8th of Feb

3. Complete with the missing word: a. dod b. o c. pedwar d. enw, ydy e. ar f. lygaid g. nhad, coch h. bobl

4. Write out the solution in words, as shown in the example: a. dau ddeg b. tri deg c. cant d. pum deg e. un deg dau f. wyth deg g. naw deg h. tri deg pedwar i. pum deg

5. Complete the words: a. nhaid b. nghyfnither c. llygaid d. gwyrdd e. barf f. sbectol g. chwaer h. gen i

6. Translate into English: a. I am forty b. My dad has a beard c. I have blue eyes d. My brother has a moustache e. My friend has black hair f. My mum has brown hair g. My sister has brown eyes

Unit 6 - Describing myself and another family member: physical and personality (Part1/2)
Grammar Times 1 & 2

VOCABULARY BUILDING (Page 35)
1. Match up: Dw i'n gryf – I'm strong **Dw i'n dal** – I'm tall **Dw i'n ddeallus** –
I'm intelligent **Dw i'n gas** – I'm mean **Dw i'n hwyl** – I'm fun **Dw i'n**
amyneddgar – I'm patient **Dw i'n gyfeillgar** – I'm friendly **Dw i'n olygus** – I'm
handsome **Dw i'n fyr** – I'm short **Dw i'n styfnig** – I'm stubborn **Dw i'n ddrwg**
– I'm bad **Dw i'n ddoniol** – I'm funny
2. Complete: a. ddoniol b. gyfeillgar c. styfnig d. gyhyrog e. hwyl
3. Sort the adjectives: Physical appearance: a, b, e, k, l, n, o **Personality:** c, d, f, g, h, i, j, m
4. Complete the words – watch out for the mutation: a. **dd**iflas b. gyfeillgar c. garedig d. **d**al
e. **d**ew f. **dd**oniol g. **b**ert h. fyr
5. Translate into English: a. My older sister is generous b. My younger brother is fat c. My mum is
fun d. My older brother is boring e. I'm uly f. I'm stubborn g. I'm handsome h. My friend, Dewi, is
strong
6. Faulty translation: spot and correct any translation mistakes you find *in the English*:
a. I am strong b. He is fat c. I'm very handsome d. My mum is tall e. My brother is ugly f. My sister
is stubborn
7. Translate into Welsh: a. Dw i'n gryf ac yn ddoniol b. Mae fy mam yn styfnig c. Mae fy chwaer yn
fyr ac yn fain d. Mae fy mrawd yn ddeallus e. Dw i'n gyfeillgar ac yn hwyl

Grammar Time 1 BOD – To be (Page 37)
1. Match up: Maen nhw'n – They are **Mae e'n/o'n** – He is **Dw i'n** – I am
Rwyt ti'n – You are *(sing)* **Dyn ni'n** – We are **Dych chi'n** – You are *(pl)*
2. Complete with the correct missing pronoun: a. i b. fy mam c. fy chwaer d. ti e. nhw
f. ni g. hi h. chi
3. Translate into English: a. I am very strong b. You are kind c. She is talkative d. She is pretty
e. We are noisy f. My dad is kind g. You are unfriendly h. They are patient
4. Complete with the missing letters: a. **Dyn** ni'n b. **Mae** fy mam y**n** c. **M**aen n**hw**'n d. **Rwyt** ti'**n**
e. **Dw i'n** f. **Dych** chi'**n** g. **Mae** hi'n
5. Translate into Welsh: a. Rwyt ti'n b. Mae e'n c. Dych chi'n d. Maen nhw'n
e. Dyn ni'n f. Mae hi'n
6. Spot and correct the mistakes: a. Mae fy mam **yn** amyneddgar b. **Mae** fy nhad yn garedig iawn
c. **Dych chi'n** swnllyd d. Mae e'n/o'n dal e. **Rwyt ti'n** hwyl

Grammar Time 1 (Page 38)

7. Complete with the missing letters: a. **Dyn** ni'**n** dal b. Dw i'**n** swil c. **Mae** fy mam **yn** hwyl
d. **Dyn** ni'**n** dda iawn e. **Mae** hi'**n** bert iawn f. **Dych** chi'**n** ddoniol g. **Rwyt** ti'**n** fyr

8. Complete with the missing conjugation of BOD: a. **Mae** fy mam **yn** b. **Mae** fy nhad **yn**
c. **Rwyt** ti'**n** d. **Dw** i'**n** e. **Dych** chi'**n** f. **Maen** nhw'**n** g. **Mae** o'**n** h. **Mae** fy nghefnder **yn**
i. **Mae** Dafydd **yn**

9. Complete with the missing conjugation of BOD: a. **Maen** nhw'**n** hwyl b. **Mae** e'**n** gryf iawn
c. **Rwyt** ti'**n** swnllyd d. **Mae** hi'**n** gyfeillgar e. **Dw** i'**n** dod o Gaerdydd f. **Dych** chi'**n** garedig iawn
g. **Mae** fy nhad **yn** llym iawn h. **Mae** Susan **yn** dal ac yn bert

10. Translate into Welsh: a. Mae e'n/o'n hyll b. Mae hi'n garedig c. Dyn ni'n ddiog d. Dw i'n
siaradus e. Mae fy nhad yn dal f. Mae nhw'n llym g. Dych chi'n amyeddgar h. Rwyt ti'n ddeallus

11. Use the correct mutation after 'yn': a. **d**al b. **f**yr c. **dd**a d. **g**yfeillgar e. **b**ert f. **d**enau g. **f**awr
h. fach

Grammar Time 2 – Gan – Have (got) (Page 39)

1. Translatie into English: a. I have black hair. b. You *(sing)* have red hair. c. He has blonde hair.
d. We have curly hair. e. She has green eyes. f. My brother has blue eyes. g. You *(pl)* have very short
hair. h. They have very long hair.

2. Spot and correct the mistakes: a. gan b. - c. ganddyn d. - e. gennym f. -

Grammar Time 2 (Page 40)

3. Complete the missing conjugation: a. gennyt b. gan c. ganddi d. gen e. gennym f. gan g.
ganddyn h. gan i. ganddo j. gan k. ganddi l. gen m. ganddo n. ganddi hi

4. Complete with gen, gennyt, gan, ganddo, gandi, gennym, gennych and ganddyn: a. gan b. gan
c. gan d. gennyt e. ganddyn f. gen g. gennych h. ganddo i. ganddi

5. Translate into Welsh: a. Mae gennym ni wallt du. b. Mae gennyt ti wallt hir. c. Mae gennych chi
lygaid glas. d. Mae ganddi hi lygaid gwyrdd. e. Mae ganddo fe wallt cyrliog. f. Mae gen i wallt syth.
g. Mae ganddyn nhw wallt golau. h. Mae gan fy nhad-cu/nhaid wallt byr. i. Mae gennym ni wallt
brown.

6. Guided writing: Dw i'n naw. Mae gen i frawd a chwaer. Mae fy mrawd yn un deg pump. Mae
ganddo fe/fo wallt brown a syth a llygaid gwyrdd. Mae e'n/o'n dal ac yn olygus. Mae gen i chwaer.
Mae hi'n un deg dau. Mae ganddi hi wallt du a hir a llygaid brown. Mae fy rhieni yn fyr ac mae
ganddyn nhw wallt a llygaid brown.

7. Write a text in which you describe four people: Enw fy mam ydy Bethan ac mae hi'n bedwar deg.
Mae ganddi hi wallt golau a syth. Mae ganddi hi lygaid glas. Mae hi'n gwisgo sbectol. Mae hi'n dal ac
yn fain. Mae hi'n garedig iawn. Enw fy nhad ydy Gareth ac mae e'n bedwar deg dau. Mae ganddo fe/fo
wallt du a byr. Mae ganddo fe/fo lygaid brown. Mae e'n/o'n gwisgo sbectol. Mae e'n/o'n fyr ond yn
gryf. Mae e'n/o'n hael ac yn gyfeillgar. Enw fy mam-gu/nain ydy Betsan ac mae hi'n chwe deg tri.
Mae ganddi hi wallt brown a thonnog. Mae ganddi hi lygaid gwyrdd. Mae hi'n dal ac yn fain. Mae hi'n
siaradus ac yn glyfar. Enw fy ffrind ydy Dafydd ac mae e'n un deg tri. Mae ganddo fe/fo wallt du, byr
iawn. Mae ganddo fe/fo lygaid brown. Mae e'n/o'n gryf ac yn gyhyrog. Mae e'n ddoniol ond yn ddiog.

Unit 6 - Describing my family and saying why I like/dislike them (Part 2/2)

VOCABULARY BUILDING (Page 42)

1. Complete the missing word: a. fy nheulu b. bedwar c. dod ymlaen d. yn dda

2. Match up: Fy chwaer – My sister **Fy nhad** – My father **Fy ewythr** – My uncle **Fy nhaid** – My grandad **Fy nghefnder** – My cousin *(he)* **Fy mrawd bach** – My little brother **Fy modryb** – My aunt **Fy nghyfnither** – My cousin *(she)* **Fy mam** – My mum **Fy mrawd** – My brother

3. Translate into English: a. I like my uncle b. He is extremely stubborn c. He has light hair d. I don't like my… e. I don't get along well with… f. My cousin *(he)* is generous

4. Add the missing letter: a. yn styfnig b. yn gyfeillgar c. cenfder d. hefyd e. Dw i'n hoffi f. dod ymlaen g. fy nhad-cu h. yn fyr i. ewythr j. achos

5. Broken words: a. Yn fy nheulu b. Mae fy mam yn garedig iawn. c. Dw i'n dod ymlaen yn dda gyda fy… d. Mae fy ewythr yn hynod o hael. e. Dw i ddim yn dod ymlaen yn dda gyda fy f. Mae gan fy chwaer wallt hir. g. Mae fy nhad yn glyfar iawn.

6. Complete with a suitable word: a. bobl b. iawn c. dda d. garedig (or any suitable adjective) e. wallt f. Dw i'n g. ddim, dod, gyda h. hir (or any suitable adjective) i. lygaid j. hynod k. mam (or any suitable noun)

READING (Page 43)

1. Find the Welsh for the following items in Lleuwen's text: a. Fy enw ydy b. yn Ne Cymru c. fy nhad-cu d. ond e. iawn f. fy nhad g. (l)lygaid brown h. (g)wallt byr iawn

2. Answer the following questions about Dafydd: a. 10 b. Alerta, in Canada c. 8 d. His uncle e. He's funny and friendly f. His aunt g. May 5

3. Complete with the missing words: a. Dw i'n b. byw c. bobl d. ymlaen e. fod f. wallt g. llygaid

4. Find someone who: a. Gruff b. Gareth c. Gwen d. Gareth e. Dafydd f. Sharon g. Ieuan h. Tad Lleuwen i. Gwen j. Gwen

TRANSLATION (Page 44)

1. Faulty Translations: a. There are 4 people in my family b. My mother Angela and my brother Darren c. I get along very well with my dad d. My uncle's name is Ifan e. Ifan is very friendly and funny f. Ifan has short hair g. I live in Penarth

2. Translate to English: a. I like my grandad. b. My grandma is very good. c. My cousin *(he)* has short hair. d. I get along well with my big brother. e. I don't get along well with my cousin *(he)* f. I like my grandad because he's generous. g. My dad is fun and funny. h. I don't like my little sister.

3. Phase-level translation: a. Mae e'n/on garedig b. Mae hi'n hael c. Dw i'n dod ymlaen yn dda gyda… d. Dw i ddim yn dod ymlaen yn dda gyda… e. Mae fy ewythr yn ddoniol f. Fy mrawd bach g. Dw i'n hoffi fy nghyfnither, Mary h. Mae ganddi hi wallt du a byr i. Mae ganddo fe/fo lygaid glas j. Dw i ddim yn hoffi fy nhad-cu/nhaid k. Mae e'n/o'n hynod o styfnig

4. Sentence-level translation: a. Fy enw ydy Pedr Evans. Dw i'n naw. Mae pedwar o bobl yn fy nheulu. b. Fy enw ydy Carla. Mae gen i lygaid glas. Dw i'n dod ymlaen yn dda gyda/efo fy mrawd.

c. Dw i ddim yn dod ymlaen yn dda gyda/efo fy mrawd achos ei fod e'n/o'n styfnig. d. Fy enw ydy Fran. Dw i'n byw yng Nghymru. Dw i ddim yn hoffi fy ewythr, David, achos ei fod e'n/o'n gas. e. Dw i'n hoffi fy nghyfnither achos ei bod hi'n dda iawn. f. Mae pump o bobl yn fy nheulu. Dw i'n hoffi fy nhad ond dw i ddim yn hoffi fy mam.

WRITING (Page 45)

1. Split sentences: Mae fy nhad **yn hael** Mae fy mam yn **garedig** Mae ganddi hi **wallt du** Mae **gen i lygaid glas** Dw i ddim yn hoffi **fy modryb** Dw i'n **hoffi fy ewythr** Dw i'n dod ymlaen **yn dda gyda hi**.

2. Rewrite the sentences in the correct order: a. Mae gen i lygaid glas. b. Dw i ddim yn hoffi fy ewythr. c. Mae gan fy mam lygaid glas. d. Mae fy ewythr yn gyfeillgar ac yn ddoniol. e. Mae chwech o bobl yn fy nheulu i. f. Dw i'n dod ymlaen yn dda gyda fy mrawd.

3. Spot an correct the errors: a. mae b. i'n c. fy nhad d. ganddo fe e. e'n f. ganddo fe g. ddim yn dod h. Dw i ddim

4. Anagrams : a. fy nheulu b. fy mrawd c. fy chwaer d. fy nghyfnither e. fy nghefnder f. yn gyfeillgar g. yn garedig h. yn hwyl

5. Write a paragraph for Padrig, Lee and Mari using FIRST person:

Padrig: Fy enw ydy Padrig a dw i'n un deg dau. Mae pedwar o bobl yn fy nheulu. Dw i'n hoffi fy mam achos ei bod hi'n hynod o garedig ac mae ganddi hi wallt melyn a hir. Dw i ddim yn hoffi fy nghyfnither, Gemma, achos ei bod hi'n gas iawn ac yn ddrwg.

Lee: Fy enw ydy Lee ac dw i'n un deg un. Mae pump o bobl yn fy nheulu. Dw i'n hoffi fy nhad achos ei fod e'n/o'n hwyl ac mae ganddo fe/fo wallt du a byr. Dw i ddim yn hoffi fy ewythr, Edward, achos ei fod e'n/o'n styfnig ac yn hyll.

Mari: Fy enw ydy Mari a dw i'n ddeg. Mae tri o bobl yn fy nheulu. Dw i'n hoffi fy nhad-cu/nhaid achos ei fod e'n/o'n hynod o ddoniol ac mae ganddo fe/fo wallt byr iawn. Dw i ddim yn hoffi fy modryb, Carol, achos ei bod hi'n gryf iawn ond yn styfnig.

6. Describe this person in the third person: Enw fy ewythr ydy Tomos. Mae ganddo fe/fo wallt golau a byr. Mae ganddo fe/fo lygaid glas. Dw i'n hoffi fy ewythr. Mae e'n/o'n dal ac yn gryf. Mae e'n/o'n hynod o hael, hwyl ac yn ddoniol.

Unit 7 - Talking about pets
Grammar Time 3: Gan (Pets and descriptions)
Questions skills 1: Age/Descriptions/Pets

VOCABULARY BUILDING (Page 48)
1. Complete with the missing word: a. aderyn b. cwningen c. gi d. crwban y môr
e. gath f. neidr g. gen h. gen
2. Match up: cath – a cat **ci** – adog **ceffyl** – a horse **parot** – a parrot **aderyn** – a bird
crwban y môr – a turtle **bochdew** – a hamster **pysgodyn** – a fish **dau bysgodyn** – two fish
llygoden fawr – a rat **mochyn cwta** – a guinea pig
3. Translate into English: a. I have a parrot b. My friend, Linda, has a rat c. I have 10 fish d. I have
three parrots e. My friend has a guinea pig f. My brother has a turtle
4. Add the missing letter: a. Fy ffrind b. Crwban y môr c. Aderyn d. Dau bysgodyn e. Ci f.
Llygoden g. Pry-copyn h. Parot
5. Anagrams: a. Ci b. Cath c. Crwban y môr d. Llygoden e. Ceffyl f. Hwyaden g. Neidr h.
Pengwin
6. Broken words: a. Mae gan Aled gath b. Mae gen i neidr c. Mae gen i fochdew d. Gartef, mae gen
i gi e. Mae gen i bysgodyn f. Mae gan fy mrawd grwban y môr g. Mae gan fy ffrind, Paul, barot
7. Complete with a suitable word: a. pysgodyn (any animal, no SM) b. ydy c. gan d. fy e. Gartref
f. mae, bochdew (any animal, no SM)   g. gen

READING (Page 49)
1. Find the Welsh for the following items in Elen's text: a. ddau anifail anwes b. o'r enw c. a chath
d. ci e. swnllyd iawn f. fel fy mrawd g. fy rhieni h. fy enw ydy i. anghyfeillgar iawn
2. Find someone who: a. Elen, Robert b. Robert c. Selena d. Julie e. Selena f. Elen, Julie
3. Answer the questions about Julie's text: a. Aberystwyth b. extremely funny
c. Sam the guinea pig d. Iolo the dog e. her dog f. her brother g. the guinea pig
4. Fill in the table: Elen: Age – 8 **Town** – Penarth (ym Mhenarth) **Pets** – dog and cat **Description of**
pets - Dog: bad/naughty,very unfriendly; Cat: very noisy **Robert: Age** – 9 **Town** –Llangrannog
Pets – parrot and cat **Description of pets** – Parrot: Very chatty; cat: very funny
5. Fill in the blanks:
Fy enw ydy **Sam** *(any name)* . Dw i'n **ddeg** *(any number)* a dw i'n b**yw** yn Abertridwr, Cymru. Mae
pump o bobl yn fy **nheulu**: fi, fy nhad , fy m**rawd** a fy nwy chwaer, o'r **enw** Alice a Martha. Mae Alice
y**n** siaradus i**awn** ac yn garedig. Mae Martha y**n** ddiog iawn ac yn anghyfeillgar. M**ae** gen i ddau anifail
gartref: llygoden f**awr** o'r **enw** Marc a chath o'**r** enw Swift. Mae hi'n hwylus ac yn swnllyd. Mae
Marc yn h**ynod** o ddiog ac yn anghyfeillgar, yn union **fel fy** chwaer Martha.

TRANSLATION (Page 50)

1. Faulty Translations: a. I have four people in my family and 2 pets b. At home, we have 2 pets: a dog and a rat c. My friend, Pedr, has a duck called Chwim. Chwim is very active/lively. d. My sister has a horse called Dylan e. My father has a guinea pig called Nicola f. I have a cat called Cysglyd. Cysglyd is very lazy.

2. Translate into English: a. A beautiful cat b. A clever dog c. A funny duck d. A boring turtle e. A pretty horse f. A noisy rat g. A subborn guinea pig h. I have 2 pets i. At home, I have no pets j. Ioan has a dog k. Sarah doesn't have a fish l. I have a cat but I don't have a snake

3. Phase- level translations: a. ci diflas b. hwyaden **dd**iflas c. gartref d. mae gennym ni e. ceffyl hardd f. Cath ddoniol g. mae gen i h. does gen i ddim

4. Sentence-level translations: a. Does gan fy mrawd ddim ceffyl o'r enw Enfys b. Mae gan fy chwaer grwban y môr hyll o'r enw Nicola c. Mae gen i fochdew tew o'r enw Bili d. Gartref, mae gennym ni dri anifail anwes: hwyaden, cwningen a pharot e. Does gen i ddim llygoden fawr o'r enw Stuart f. Gartref, mae gennym ni ddau anifail anwes: cath a chi. g. Mae gen i ddau bysgodyn, o'r enw Nemo a Dory

WRITING (Page 51)

1. Split sentences: Mae **gen i gi du** Gartref mae gen **i fochyn cwta** Mae gen i lygoden **fawr gwyn** Mae gen i gath o'r **enw Chwim** Does gen i **ddim pry-copyn** Mae gan fy **mrawd ddau anifail anwes** Does gen i ddim anifeiliaid **anwes gartref**

2. Rewrite the sentences in the correct order: a. Gartref, mae gen i dri anifail anwes b. Gartref, does gen i ddim llygoden c. Mae gen i aderyn a chath d. Mae gan fy ffrind, Pedr, fochyn cwta du e. Mae gen i barot gwyrdd o'r enw Swynol f. Mae gen i ddeg pysgodyn melyn g. Does gan fy chwaer, Nicola, ddim ci

3. Spot and correct the mistakes: a. geffyl b. Enw fy ngheffyl **ydy** Enfys c. neidr d. Mae gen **i** fochyn... e. Mae gan **fy** chwaer... f. Gartref, mae **ganddi** hi... g. Mae **gan** fy ffrind... h. Gartref, mae **ganddo** fo...

4. Anagrams : a. ci b. cath c. llygoden fawr d. hwyaden e. pengwin f. ceffyl g. neidr

5. Write a paragraph for Peter, Leo and Ciara using FIRST person:

Peter: Fy enw ydy Pedr. Mae gen i lygoden fawr. Mae hi'n bedair. Mae hi'n wen. Mae hi'n garedig.

Leo: Fy enw ydy Leo. Mae gen i hwyaden. Mae hi'n chwech. Mae hi'n las. Mae hi'n ddoniol.

Michael: Fy enw ydy Michael. Mae gen i geffyl. Mae e'n/o'n un. Mae e'n/o'n frown. Mae e'n/hi'n brydferth.

6. Write a paragraph for Robert in the THIRD person:

Mae gan Robert wallt golau a byr, a llygaid gwyrdd. Mae e'n/o'n garedig iawn. Mae e'n fyr ac yn dew. Mae ganddo fe gi, cath a dau bysgodyn,

Grammar Time 3 (Page 52)

1. Translate: a. Mae gen i b. Mae gennyt ti c. Mae ganddi hi d. Mae gennym ni e. Mae gennych chi
f. Mae ganddyn nhw

2. Translate into English: a. I have a very beautiful horse b. My mum has a very funny dog c. My
brother has a very ugly cat d. My cousin has a guinea pig e. My friend, Sean, has a funny rat

3. Complete: a. e'n b. gen c. nhw d. gan e. gennyt f. gennych g. gan h. gan i. gennym, e'n

4. Translate into Welsh: a. Does gennym ni ddim anifeiliaid anwes gartref. b. Mae gen i fochyn cwta.
Mae e'n dair.   c. Mae fy nghi yn dair. Mae e'n/o'n fawr iawn. d. Mae gan fy nghyfnither hwyaden a
neidr. e. Mae gen i dri brawd. Maen nhw'n gas iawn. f. Mae gan fy mrawd a fi wallt du a llygaid
gwyrdd. g. Mae gan fy modryb wallt golau, cyrliog a hir. Mae hi'n hynod o bert.

Question Skills 1 (Page 53)

1. Match question and answer: Faint ydy dy oed di? – Dw i'n un deg pump **Pam dwyt ti ddim yn
dod ymlaen gyda dy fam?** – Achos ei bod hi'n llym **Pa fath o wallt sy gennyt ti?** – Mae gen i wallt
syth **Faint ydy oed dy rieni -cu?** – Maen nhw'n wyth deg **Pa liw llygaid sy gennyt ti?** – Mae gen i
lygaid glas **Beth ydy dy hoff liw?** – Fy hoff liw ydy gwyrdd **Sut wyt ti?** – Dw i'n dda iawn, diolch
Wyt ti'n dod ymlaen yn dda gyda dy dad? – Nac ydw, achos ei fod e'n gas ac yn ddiog **Beth ydy
dy hoff anifail anwes?** – Fy hoff anifail anwes ydy ci **Pryd mae dy benblwydd?** – Mehefin dau ddeg
Pa fath o berson wyt ti? – Dw i'n berson doniol ac yn siaradus **Sut un wyt ti yn gorfforol?** – Dw i'n
fyr ac yn gryf

2. Complete with the missing word: a. ble b. Sut c. Faint d. ti'n e. Pryd f. Sut

3. Translate into Welsh: a. Faint ydy dy oed di? b. Beth ydy dy enw di? c. O ble rwyt ti'n dod?
d. Pa fath o wallt sy gennyt ti?   e. Sawl anifail anwes sy gennyt ti? f. Beth ydy dy hoff anifail?

4. Complete: a. Faint ydy dy oed di? b. Sut berson wyt ti? c. Pryd mae dy benblwydd? d. Sawl anifail
anwes sy gennyt ti?   e. Wyt ti'n dod ymlaen gyda dy fam?   f. Pa liw gwallt sy gennyt ti? g. Pam dwyt
ti ddim yn dod ymlaen gyda dy dad?

Unit 8 - Saying what jobs people do...

Grammar Times 4 & 5: - Bod – Present tense affirmative and negative conjugations

VOCABULARY BUILDING (Page 56)

1. Complete with the missing word: a. Cyfreithiwr b. Triniwr gwallt
c. Mecanydd d. Meddyg e. Nyrs f. Cyfrifydd g. Ffermwr, ewythr

2. Match up: Mae'n anodd – It's difficult **Mae'n gyffrous** – It's exciting **Mae'n hwyl** – It's fun
Mae'n fywiog – It's active **Mae'n ddiddorol** – It's interesting **Mae'n ddiflas** – It's boring **Mae'n fuddiol** – It's rewarding **Mae'n hawdd** – It's easy

3. Translate into English: a. My mother is a mechanic b. She likes the work c. He works in a garage
d. He doesn't like the work e. My aunt is a hairdresser f. He loves the work

4. Add the missing letter: a. Mae'n hawdd b. Mae e'n hoffi c. Periannydd d. **M**eddyg e. Mae'n fywi**o**g f. Gweithio g. **N**yrs ydy hi h. Fy ewyth**r**

5. Anagrams: a. Ffermwr b. Cyfreithiwr c. Meddyg d. Actor e. Actores f. Cyfrifydd g. Cogydd
h. Gŵr tŷ

6. Broken words: a. Gŵr tŷ ydy fy nhad. b. Mae e'n hoffi'r gwaith. c. Ffermwr ydy fy mrawd.
d. Mae o'n gweithio yn y cefn gwlad. e. Mae hi'n dwlu ar y gwaith. f. Achos ei fod e'n fywiog.
g. Achos ei fod e'n fuddiol iawn.

7. Complete with a suitable word: a. Athrawes (or any job) b. hoffi c. gyffrous (or any positive adjective) d. yn y cefn gwlad/yn y tŷ/yn y dref e. nhad (or any family member) f. e/o/hi
g. brysur (or any adjective) h. fy i. bwyty (or any suitable place) j. gweithdy/garej

READING (Page 57)

1. Find the Welsh in Siôn's text: a. Dw i'n un deg pedwar b. Mae gen i gi c. pedwar o bobl
d. Meddyg e. yn y dref f. Mae e'n hoffi'r gwaith g. achos ei fod e'n fuddiol h. Mae e'n dwlu ar y gwaith i. caled ac anodd

2. Answer the questions on ALL texts: a. Leanne's dog b. Leanne's mum c. Owain d. Siôn
e. Owain f. Siôn and Leanne

3. Answer the questions about Owain: a. Funny like Speed b. His mum c. He doesn't like children
d. Aberteifi e. An engineer but doesn't work now f. He's smart but unfriendly

4. Fill in the table below: Leanne - a. 14 b. Wrecsam c. Gwraig tŷ d. Ci **Owain** – a. 10 b. Aberteifi
c. Periannydd (ond nawr dydy hi ddim yn gweithio) d. Crwban y môr

5. Fill in the gaps: Sioned's text: a. ydy b. byw c. nheulu d. yn e. ydy f. theatr g. byw/gweithio

TRANSLATION (Page 58)

1. Faulty Translations: a. My dad is an actor and he likes the work because it's exciting. He Works in a theatr b. My aunt is a business woman. She works in an office. She likes the work but it's hard
c. My friend, Fran, is a nurse. She works in hospital and she likes the work. d. My uncle, Gianfranco, is a chef in an Italian restaurant. He likes the work. e. My mum, Angela, is and accountant and she works in an office. She hates the work because it's boring and repetitive.

2. Translate into English: a. He works in a b. She works in c. House-husband d. Nurse e. Hairdresser f. Mechanic g. He loves the work h. Work in a workshop i. Work in a theatr j. Work in a garage i. Because it's interesting

3. Phase-level translation: a. Fy mrawd mawr b. Gweithio mewn c. Ffermwr d. Mae e'n/o'n hoffi e. gwaith f. achos ei fod e'n fywiog g. a hwyl h. ond mae'n anodd

4. Sentence-level translation: a. Mecanydd ydy fy mrawd. b. Dyn busnes ydy fy nhad. c. Ffermwr ydy fy ewythr ac mae e'n/o'n casáu'r gwaith. d. Mae fy mrawd, Darren, yn gweithio mewn bwyty. e. Gartref, mae gen i neidr o'r enw Sally. f. Gartref, mae gen i gi cyfeillgar. g. Nyrs ydy fy modryb. h. Mae fy modryb yn gweithio mewn ysbyty. i. Mae hi'n hoffi'r gwaith achos ei fod e'n fuddiol.

WRITING (Page 59)

1. Split sentences: Mae gan fy mrawd **hwyaden ddu**. Cyfreithiwr **ydy fy nhad**. Athrawes **ydy fy modryb**. Mae e'n **hoffi'r gwaith**. Achos ei fod **e'n fuddiol**. Gweithio yn **y dref**. Gweithio **mewn bwyty**.

2. Rewrite the sentences in the correct order: a. Mae e'n dwlu ar y gwaith. b. Mae e'n gweithio mewn swyddfa. c. Gwraig tŷ ydy hi. Mae hi'n hoffi'r gwaith. d. Ffermwr ydy fy ewythr. e. Mae fy chwaer yn gweithio mewn theatr. f. Mae fy nhad-cu yn casáu'r gwaith. g. Meddyg ydy fy ffrind. Mae hi'n gweithio mewn ysbyty.

3. Spot the errors: a. Gŵr tŷ ydy fy **nhad**/Gwraig tŷ ydy fy mam. b. Triniwr gwallt ydy **fy** chwaer. c. Achos ei fod e'n ddiflas ac **anodd**. d. Mae fy **nhad** yn casáu'r gwaith. e. Mae e'n gweithio mewn ysbyty **yn** y dref. f. Mae e'n hoffi'r gwaith achos ei fod e'n **fuddiol**. g. Mae hi'n hoffi'**r** gwaith achos ei fod e'n hawdd. h. Mae hi'n **casáu'r** gwaith achos ei fod e'n ail-adroddus.

4. Anagrams : a. Meddyg b. Fuddiol c. Ail-adroddus d. Mae hi'n hoffi e. Ffermwr f. Bwyty g. Athro

5. Write a paragraph for Jeff, Dan and Martha using FIRST person:

Jeff: Fy enw ydy Jeff. Mecanydd ydy fy nhad. Mae e'n dwlu ar y gwaith achos ei fod e'n fywiog ac yn ddiddorol.

Dan: Fy enw ydy Dan. Cyfreithiwr ydy fy mrawd. Mae e'n casáu'r gwaith achos ei fod e'n ddiflas ac yn ail-adroddus.

Martha: Fy enw ydy Martha. Ffermwr ydy fy modryb. Mae hi'n hoffi'r gwaith achos ei fod e'n hwyl ond yn anodd.

6. Describe this person in Welsh using the THIRD person: Manon ydy hi. Mae ganddi hi wallt golau. Mae ganddi hi lygaid gwyrdd. Mae hi'n dal ac yn fain. Mae hi'n garedig ac yn ddoniol. Nyrs ydy Manon/hi. Mae hi'n hoffi'r gwaith achos ei fod e'n anodd ond yn fuddiol.

Grammar Time 4 (Page 60)

Drills

1. Match up: Rwyt ti'n gweithio – You *(sing)* work **Dw i'n gweithio** – I work **Dych chi'n gweithio** – You *(pl)* work **Dyn ni'n gweithio** – We work **Mae hi'n gweithio** – She works **Maen nhw'n gweithio** – They work **Mae e'n gweithio** – He works

2. Translate into English: a. They work. b. I work as a doctor. c. Do you work as a teacher? *(she)*

d. My brother and I work e. My parents work

3. Complete with the correct option: a. Dw b. Maen c. Mae d. Dych e. Rwyt f. Mae g. Mae
h. Dyn

Grammar Time 4 (Page 61)

4. Cross out the wrong option: a. ~~ti'n gweithio~~ b. ~~i'n gweithio~~ c. ~~chi'n gweithio~~ d. ~~i'n gweithio~~
e. ~~nhw'n gweithio~~ f. ~~chi'n gweithio~~ g. ~~ti'n gweithio~~ h. ~~ni'n gweithio~~

5. Complete the sentences: a. Mae b. ni'n c. Dych d. nhw'n e. Dyn f. i'n g. ti'n h. Dw

6. Complete the sentences: a. gweithio b. athrawes c. gweithio d. fy nhad e. gweithio f. yn
g. gweithio h. nhw'n i. mewn j. chwaer k. gweithio

7. Complete with the correct conjugation of BOD and verb: a. Mae hi'n astudio b. Dw i'n cael
c. Dyn ni'n ymarfer d. Rwyt ti'n siarad e. Dych chi'n bwyta f. Maen nhw'n chwarae g. Dw i'n
gwrando h. Mae e'n/o'n hoffi i. Dw i'n caru

Grammar Time 5 (Page 62)
Drills

1. Match up: Dw i ddim yn – I don't **Dydy o ddim yn** – He doesn't **Dydyn nhw ddim yn** – They
don't **Dydy fy mrawd ddim yn** – My brother doesn't **Dwyt ti ddim yn** – You don't *(sing)* **Dydy hi
ddim yn** – She doesn't **Dyn ni ddim yn** – We don't **Dych chi ddim yn** – You don't **(pl)**

2. Complete with the missing pronoun: a. i b. nhw c. e/o d. ti e. ni f. hi g. chi

Grammar Time 5 (Page 63)

3. Translate into English: a. I don't work as a teacher. *(she)* b. They don't work in a restaurant.
c. My mum doesn't work as a housewife. d. My dad doesn't work as a mechanic. e. We don't work in
a garage. f. She doesn't work as a chef. g. You *(pl)* don't work in a factory. h. You *(pl)* don't work in
an office. i. He doesn't work in a school.

4. Translate into Welsh: a. Dw i ddim yn gweithio fel athro/athrawes. b. Dydy fy modryb ddim yn
gweithio fel nyrs. c. Dydy fy ewythr ddim yn gweithio fel cyfreithiwr. d. Dydy fy nhad ddim yn
gweithio fel meddyg. e. Dydy fy mrawd ddim yn gweithio fel swyddog tân. f. Dydy fy nghefnder
ddim yn gweithio fel plymwr.

5. Translate into Welsh: a. Mae fy mrawd yn dal ac yn olygus ond dydy e/o ddim yn gweithio fel
actor. b. Mae fy chwaer hŷn yn ddeallus and yn weithgar ond dydy hi ddim yn gweithio fel cyfrifydd.
c. Mae fy mrawd iau yn ddoniol ond dydy e ddim yn gweithio fel athro. d. Mae fy mam yn gryf iawn
ac yn garedig ond dydy hi ddim yn gweithio fel meddyg. e. Mae fy nhad yn amyneddgar, deallus ac yn
gyfeillgar ond dydy e ddim yn gweithio fel perianydd.

Unit 9 - Comparing people's appearance and personality
Revision Quickie 2

VOCABULARY BUILDING (Page 66)

1. Complete with the missing word: a. na b. llai c. nhad-cu/nhaid, fy d. fwy, ni
e. Mae, swnllyd, neidr f. llai, fy g. mrawd, gweithgar h. yn, cariadus

2. Translate into English: a. my cousins b. more c. my uncle d. my grandparents e. shorter f. my
bestfriend g. less h. stronger i. taller j. older k. serious l. younger

3. Match up: difrifol – serious **hen** – old **ifanc** – young **twp** - stupid **diflas** – boring **cryf** – strong
cariadus - affectionate

4. Spot and correct any translation mistakes: a. He is taller than me. b. He is as strong as me. c. He
is weaker than you. d. I am less fat than him. e. You are younger than me. f. I'm as old as him. g.
They are shorter than you *(pl)*.

5. Complete with a suitable word: a. na b. mor c. Mae, yn d. â e. Mae, yn f. fwy/llai g. nghi (or
any suitable noun), na h. â, nhad (or any suitable noun)

6. Match the opposites: gweithgar – diog **deallus** – twp **hen** – ifanc **hyll** – golygus **main** – tew
tawel – swnllyd **cyfeillgar** - anghyfeillgar

READING (Page 67)

1. Find the Welsh for the following items in Siôn's text: a. a dw i'n byw yn b. fy rhieni c. golygus
d. anghyfeillgar e. llai styfnig f. yn dalach g. ond h. hwyaden i. ddau anifail anwes j. yn fwy caredig
k. mor styfnig â l. yn gryfach

2. Complete the statements about Efa's text: a. 12 b. pretty c. kind d. affectionate, kind e. sporty
f. 2

3. Correct the statements about Gareth's text: a. ddau b. yn dalach na c. yn wannach na d. Mae'r
parot e. Mae Lowri'n fwy styfnig na Osian f. hi

4. Answer the questions on the three texts: a. Llandudno b. Lowri c. Gareth d. Siôn e. Siôn f. Siôn
g. Gareth h. Alec

TRANSLATION/WRITING (Page 68)

1. Translate into English: a. tal b. taller c. slim d. short e. shorter f. fat g. intelligent h. stubborn
i. good-looking j. as … as k. more … than l. less … than m. strong n. stronger o. weak p. weaker

2. Gapped Sentences: a. mam, na b. Mae, gryfach c. cefnder, athletaidd d. Mae, fwy, fi e. mor, â
f. chwaer, fwy g. nghariad, difrifol, na h. nhad-cu/nhaid, fwy, na, mam-gu/nain

3. Phase-level translation: a. Mae fy mam yn b. yn dalach na c. mor fain â d. yn llai styfnig na
e. Dw i'n fyrrach na f. Mae fy rhieni yn g. Mae fy nghyfnither yn h. mor dew â i. Maen nhw mor
gryf â j. Mae fy rhieni-cu yn

4. Sentence-level translation: a. Mae fy chwaer yn hŷn na fy mrawd. b. Mae fy nhad mor styfnig â fy
mam. c. Mae fy nghariad yn fwy gweithgar na fi. d. Dw i'n llai deallus na fy mrawd. e. Mae fy ffrind
yn fwy cryf ac yn fwy athletaidd na fi. f. Mae fy nghariad yn fwy golygus na fi. g. Mae fy nghefnder
yn fwy diog na ni. h. Mae fy hwyaden yn fwy swnllyd na fy nghi. i. Mae fy mochyn cwta yn fwy
doniol na fy neidr. j. Mae fy llygoden fawr mor dew â fy mochyn cwta.

Revision Quickie 2 (Page 69)

1. Match up: meddyg – doctor **swyddog tân** – fire officer **nyrs** – nurse **athrawes** – teacher *(fem)* **gweithiwr** – worker **cyfreithwraig** – laywer *(fem)* **plymwr** – plumber **triniwr gwallt** - hairdresser

2. Sort the words into categories: Description – b, d, e, l, m, r **Pets** – k, q, s, t **Professions** – a, c, g, h, n **Family** – f, i, j, o, p

3. Complete with the missing adjective: a. dew b. dal c. fyr d. fain e. ddiflas f. siaradus

4. Complete with the missing noun: a. Cyfreithiwr b. Nyrs c. Cogydd d. Athrawes e. Triniwr gwallt f. Meddyg g. Menyw fusnes h. Peiriannydd

5. Match the opposites: golygus – hyll **amyneddgar** – diamynedd **tew** – main **deallus** – twp **caredig** – cas **hŷn** – iau **tal** – byr **cryf** – gwan

6. Complete the numbers below: a. un deg pedwar b. pedwar deg c. chwe deg d. pum deg e. saith deg f. naw deg

7. Complete with the correct verb: a. Mae, yn b. Mae gen i c. Athro d. Mae, yn e. dal f. bobl g. gweithio h. ydy

Unit 10 - Saying what's in my school bag

Grammar Times 6 & 7: GAN – Conjugations, mutations and questions

VOCABULARY BUILDING (Page 72)

1. Complete with the missing words: a. lyfr b. rwber c. pen d. siswrn e. gen f. pren mesur g. cadair h. gan

2. Match up: rwber – a rubber **pensil** – a pencil **llawlyfr** – a planner **cadair** – a chair **mae gen i** – I have a **dw i ddim angen** – I don't need **does gen i ddim** – I don't have **naddwr** – a sharpener **pen** – a pen

3. Translate into English: a. I have a rubber b. My friend has a planner c. I don't have an exercise book d. I don't need a sharpener e. I need a felt tip pen f. There is a computer

4. Add the missing letter: a. naddwr b. rwber c. dw i angen d. bwrdd gwyn e. llawlyfr f. fy ffrind g. mae gan fy ffrind h. does gen i ddim

5. Anagrams: a. pensiliau b. naddwr c. rwber d. cadair e. llyfr f. bwrdd g. glud h. siswrn

6. Broken words: a. Yn fy mag, mae gen i gas pensil. b. Yn fy nosbarth, does gen i ddim cadair. c. Does gen i ddim geiriadur. d. Dw i angen pren mesur. e. Mae bwrdd gwyn. f. Mae gen i beniau glas.

7. Complete with a suitable word: a. lyfr* b. pensil* c. oren* d. Mae * e. du* f. llyfr ysgrifennu* g. ffrind* h. Does i. ddim j. cas pensil* (* = or any suitable word)

READING (Page 73)

1. Find the Welsh in Lowri's text: a. Dw i'n un deg pedwar b. dw i'n byw yn Abertawe c. Mae pedwar o bobl yn fy nheulu d. gath wen e. bensil coch f. pen melyn g. Fy hoff beth ydy h. Dim ond un peth i. gartref j. geffyl llwyd

2. Find someone who...: a. Carys b. Gruffydd (28 tables) c. Gruffydd d. Owen e. Lucy f. Gruffydd

3. Answer the following questions about Owen: a. Cardiff b. his brother c. 20 each d. pretty e. none f. a rat g. very funny

4. Fill in the table:

Lowri: Age – 14 **City** – Swansea **Items in pencil case** – red pencil, yellow pen, red ruler, white rubber

Carys: Age – 15 **City** – London **Items in pencil case** – blue pencil, yellow felt tip pen, a new ruler, rubber

5. Fill in the blanks:

Fy **e**nw ydy Jac. Dw i'n wy**th** a dw i'n b**y**w ym Mangor. Mae pedwar o bobl yn fy nheulu. Yn fy **no**sbarth mae llawer o bethau, fel cyfrifiaduron a b**wrdd** gwyn. Yn fy n**gh**as **pe**nsil mae gen i bensil, pen, rwber a phren m**esur**.

TRANSLATION (Page 74)

1. Faulty translation: a. In my class, there is a blackboard and a computer. I don't like my teacher. b. I don't have many things in my bag. I have a pink pencil, but I don't have a ruler. c. My friend, Emily, has four people in her family. You need a black pen and a planner. d. I need a pencil and a gluestick. I don't have a ruler or a pen. I love my teacher!

2. Translate into English: a. I need... b. I have a black pencil. c. I have a blue pen. d. a green ruler e. At home, I have a dog. f. My friend has a book. g. Mae dad works as a h. I like my teacher. i. yellow pencils j. a big blackboard k. I have many things l. I do not have a sharpener.

3. Phase-level translation: a. llyfr coch b. cyfrifianell ddu c. does gen i ddim d. dw i angen e. dw i'n hoffi f. mae g. mae gen i h. mae gan fy ffrind

4. Sentence-level translation: a. Mae dau ddeg bwrdd. b. Mae bwrdd gwyn. c. Mae fy athro yn garedig d. Mae gen i beniau glas. e. Mae gen i bensiliau oren. f. Dw i angen rwber a naddwr. g. Dw i angen cadair a llyfr. h. Mae fy nosbarth yn fawr.

WRITING (Page 75)

1. Split sentences: Dw i **angen cyfrifianell** Mae fy nosbarth **yn fawr** Mae tri deg **bwrdd** Does gan fy ffrind **ddim pensil** Does **gen i ddim pen** Mae gen i **rwber**

2. Rewrite the sentences in the correct order: a. Dw i angen cyfrifianell. b. Mae gen i bren mesur a phensil coch. c. Mae fy nosbarth yn fawr iawn. d. Mae gan fy ffrind bapur gwyn. e. Does geni ddim llawlyfr glas. f. Gartref, mae gen i grwban gwyrdd.

3. Spot and correct the grammar and spelling mistakes: a. Mae dau ddeg bwrdd **yn** fy nosbarth b. Mae **gen i**... c. Yn fy mag, **mae** gen i... d. Does **gan** fy ffrind ddim byd... e. Dw **i angen**... f. **Mae** gan fy ffrind... g. ... ac **mae** hi'n gweithio... h. Dw **i'n** dal..., Mae **gen** i....

4. Anagrams : a. cas pensiliau b. bwrdd gwyn c. peniau d. siswrn e. pen felt f. naddwr g. llyfr

5. Guided writing:

Rhys: Fy enw ydy Rhys. Dw i'n byw yn Llundain. Mae gen i lyfr ysgrifennu. Does gen i ddim pen. Dw i angen llawlyfr.

Fflur: Fy enw ydy Fflur. Dw i'n byw yn Wrecsam. Mae gen i bren mesur. Does gen i ddim pensil. Dw i angen papur.

Iolo: Fy enw ydy Iolo. Dw i'n byw ym Mangor. Mae gen i ben ffelt. Does gen i ddim naddwr. Dw i angen glud.

6. Write a paragraph for Daniel in the THIRD person:

Helen: Mae gan Helen geffyl du. Mae ganddi hi wallt brown a llygaid glas. Mae ganddi hi ben, pensil, pren mesur a rwber. Does ganddi hi ddim naddwr, papur na chadair. Mae hi angen llyfr ysgrifennu.

BOD + GAN: Drills (1) Page 77)

1. Match up: Mae gennym ni – We have **Mae gen i** – I have **Mae ganddyn nhw** – They have
Mae gennyt ti – You *(sing)* have **Mae ganddo fe** – He has **Mae ganddi hi** – She has
Mae gennych chi – You *(pl)* have **Mae gan Mared** – Mared has

2. Complete the missing word: a. gen b. gennym c. Mae ganddyn d. gennyt e. Oes gennych chi
f. Mae gan g. ganddi h. Mae ganddo

3. Complete with the correct conjugation of BOD + GAN: a. Mae gennyt ti b. Mae ganddyn nhw c.
Mae gen i d. Mae ganddi hi e. Mae ganddo fe/fo f. Mae gennych chi g. Mae gan Gwen

4. Complete with the missing form of 'ag': a. Does gennyt ti ddim... b. Mae gan fy ewythr... c. Mae
gen i... d. Mae gennym ni... e. Mae ganddyn nhw... f. Mae ganddo fe... g. Mae ganddi hi... h. Mae
gen i...

5. Complete with the correct conjugation of BOD + GAN: a. Mae gan b. Mae ganddi c. Mae gen
d. Mae gan e. Mae gennyt f. Mae ganddyn g. Mae gen

6. Translate into Welsh : a. Mae gan fy nhad lygaid glas. b. Does gen i ddim anifeiliaid anwes.
c. Yn fy mag, mae gen i bren mesur. d. Oes gennyt ti beniau ffelt? e. Mae gennych chi wallt du.

BOD + GAN: Drills (2) (Page 78)

7. Translate into Welsh: a. Mae gen i b. Mae gennyt ti
c. Mae ganddi hi d. Mae ganddo fe e. Mae gan Llinos f. Mae gennym ni g. Mae gennych chi
h. Mae ganddyn nhw

8. Translate into Welsh: a. Mae gennyn ni barot. b. Mae gen i grwban c. Mae gan fy mrawd fochyn
cwta d. Mae gan fy ewythr geffyl. e. Mae gan fy chwaer bry-copyn. f. Does gennym ni ddim
anifeiliaid anwes.

9. Translate into Welsh: a. Does gen i ddim brodyr. b. Mae gennym ni rieni-cu. c. Does gan fy mam
ddim chwiorydd. d. Oes gennyt ti frawd neu chwaer? e. Oes gennych chi gefnder?

10. Translate into Welsh: a. Maen nhw'n un deg pump. b. Dyn ni'n un deg pedwar. c. Dw i'n un deg
chwech. d. Dych chi'n un deg dau. e. Mae e'n dair. f. Mae fy mam yn bedwar deg.

11. Translate into Welsh: a. Mae gen i wallt du. b. Mae gennym ni lygaid glas. c. Mae ganddi hi
wallt cyrliog. d. Mae gan fy mam wallt golau. e. Mae gennyt ti lygaid gwyrdd. f. Mae gan fy mrawd
lygaid brown. g. Does gennym ni ddim gwallt. h. Mae gennych chi lygaid hardd. i. Mae gan fy rhieni
wallt coch. j. Does gennych chi ddim gwallt.

Grammar Time 7
Question drills (Page 80)

1. Match up: Yes, he has – Oes, mae ganddo fe **No, I haven't** – Nac oes, does gen i ddim
Yes, we have – Oes, mae gennym ni **Yes, you *(sing)* have** – Oes, mae gennyt ti **Yes, they have** –
Oes, mae ganddyn nhw **No, she hasn't** – Nac oes, does ganddi hi ddim **No, you *(sing)* haven't** – Nac
oes, does gennyt ti ddim **Yes, I have** – Oes, mae gen i **Yes, she has** – Oes, mae ganddi hi

2. Complete the translations for these questions: a. gennyt b. Oes ganddi c. ganddyn nhw
d. Oes, chi e. Oes ganddo

3. Underline the correct mutation: a. frawd b. brawd c. bensil d. gadair e. bapur f. papur
g. pen h. lyfr

4. Complete the missing adjective: a. gen b. oes, ganddi c. Nac, ganddyn d. Oes, gennym e. Nac oes, ganddo f. siswrn

5. Translate into Welsh: a. Oes gennyt ti ben/feiro? b. Oes ganddi hi gyfrifiadur? c. Oes ganddo fe frawd? d. Oes ganddyn nhw chwaer? e. Oes gennych chi fwrdd? f. Oes gen i gadair?

6. Translate into Welsh: a. Oes, mae gen i ben b. Nac oes, does ganddi hi ddim cyfrifiadur c. Oes, mae ganddo fe frawd. d. Nac oes, does ganddyn nhw ddim chwaer e. Oes, mae gennym ni fwrdd.
f. Oes, mae gennych chi bapur.

Unit 11 - (Part 1/2)
Talking about food:
Likes / Dislikes / Reasons Part 1
Grammar Time 8: Bwyta/Yfed

VOCABULARY BUILDING (PART 1) (Page 83)

1. Match up: bananas – bananas **mefus** – strawberries **cig** – meat **cyw iâr** – chicken **dŵr** – water **llefrith** – milk **wyau** – eggs **corgimychiaid** – prawns **byrgyrs** – burgers **ffrwythau** – fruit **afalau** – apples

2. Complete: a. cig b. gorgimychiaid c. ffrwythau d. laeth/lefrith e. fananas f. ddŵr g. wyau h. gyw iâr i. mefus j. tomatos

3. Translate into English: a. I like fruit b. I hate eggs c. I love chicken d. I like burgers a lot e. I quite like meat f. I prefer oranges g. I don't like tomatoes

4. Complete the words: a. siocled b. afalau c. llysiau d. caws e. byrgyr f. sudd g. mefus h. pysgod

5. Fill in the gaps: a. Dw i'n hoffi b. Mae'n well gen i c. Mae'n well gen i d. Dw i'n hoffi e. Mae'n well gen i f. Mae'n well gen i g. Mae'n well gen i h. Dw i'n hoffi i. Mae'n well gen i

6. Translate into Welsh: a. Dw i'n hoffi wyau b. Dw i'n eithaf hoffi orenau c. Mae'n gas gen i domatos d. Dw i'n hoffi corgimychiaid lawer e. Dw i'n dwlu ar ffrwythau f. Dw i ddim yn hoffi llysiau g. Mae'n well gen i laeth/lefrith

VOCABULARY BUILDING (PART 2) (Page 84)

1. Complete the missing words: a. laeth/lefrith b. iachus c. afiach d. cig e. felys iawn f. sbeislyd g. flasus h. ych a fi

2. Complete the table: llefrith – **milk** cyw iâr – chicken pysgod – **fish** wyau – **eggs** dŵr – water bara – **bread** mêl – **honey** tôst – **toast** i. llysiau– vegetables

3. Complete each sentence: a. lysiau b. mefus c. llysiau d. gaws e. fyrgyrs f. caws g. bysgod h. fefus

4. Broken words: a. Dw i'n dwlu ar afalau b. Mae coffi yn flasus c. Dw i ddim yn hoffi wyau d. Mae'n gas gen i fyrgyrs e. Mae pysgod yn iachus f. Mae cyri yn sbeislyd g. Dw i'n hoffi siocledi

5. Complete each sentence: a. coffi* b. gorgimychiaid* c. pysgod* d. fefus* e. ddŵr* f. sudd* g. cyw iâr*

READING (Page 85)

1. Find the Welsh in Robert's text: a. Dw i'n dwlu ar fwyd y môr b. dw i'n hoffi corgimychiaid c. flasus iawn d. pysgod hefyd e. llawn protein f. Dw i'n eithaf hoffi g. Dw i ddim yn hoffi h. Hefyd i. ddiflas

2. Fransis or Delyth? : a. Delyth b. Fransis c. Fransis d. Delyth e. Fransis f. Delyth g. Fransis h. Fransis i. Fransis

3. Complete the following sentences based on Alec: a. vegetables b. every day c. potatoes, leek and carrots d. apples, healthy, tasty e. meat, fish

4. Complete the table about Ioan: **Loves** – meat **Likes** – Burgers, fruit **Hates** – Tomatoes, carrots **Doesn't like** – vegetables, eggs, prawns

TRANSLATION (Page 86)

1. Faulty translations: a. I love prawns b. I hate meat c. I like honey d. I quite like oranges e. Eggs are disgusting f. Bananas are full of vitamins g. Fish is healthy h. I prefer water i. I hate vegetables j. I like rice a lot k. I don't like fruit l. Prawns are tasty

2. Translate into English: a. Burgers are spicy b. Fish is tasty c. Chicken is full of protein d. I love rice e. Red meat is greasy f. I hate strawberries g. Eggs are disgusting h. I prefer water i. I quite like prawns j. I don't like vegetables k. I like carrots l. The coffee is very sweet

3. Phase-level translation: a. cyw iâr sbeislyd b. Dw i'n hoffi ... lawer c. Dw i'n eithaf hoffi d. achos ei fod e'n felys iawn e. afal ych a fi f. Mae'n well gen i g. Dw i ddim yn hoffi h. Dw i'n dwlu ar

4. Sentence-level translation: a. Dw i'n eithaf hoffi cyw iâr sbeislyd b. Dw i'n hoffi orenau lawer achos eu bod nhw'n iachus c. Mae'n well gen i gig achos ei fod e'n flasus d. Mae'n gas gen i yfed llaeth/llefrith achos ei fod e'n ych a fi e. Dw i ddim yn hoffi wyau achos eu bod nhw'n ych a fi f. Dw i'n dwlu ar orenau achos eu bod nhw'n llawn fitaminau g. Dw i'n dwlu ar fwyta pysgod achos ei fod e'n flasus ac yn llawn protein

WRITING (Page 87)

1. Split sentences: Dw i'n hoffi cyw **iâr rhost** Mae'n gas gen i lysiau achos **eu bod nhw'n ych a fi** Mae'n well **gen i ffrwythau** Mae'r **coffi yn felys** Dw i'n eithaf hoffi **bananas**
f. Mae'r cig yn **seimllyd ond blasus** g. Dw i'n dwlu **ar fyrgyrs** h. Dw i ddim yn **hoffi caws**

2. Rewrite the sentences in the correct order: a. Dw i'n dwlu ar gyw iâr rhost b. Mae'n gas gen i lysiau c. Mae'r coffi yn felys d. Mae cig coch yn afiach e. Mae'n well gen i ddŵr f. Mae'r caws yn ych a fi g. Maen nhw'n hoffi orenau lawer achos eu bod nhw'n flasus

3. Spot and correct the grammar and spelling mistakes: a. Mae'r wyau **yn** afiach b. Dw i**'n** hoffi orenau c. Dw i'n dwlu ar **goffi** d. Mae**'n** well gen i foron e. Mae'n well gen i **lysiau** f. Dw i**'n** eithaf hoffi pysgod

4. Anagrams: a. Ych a fi b. Pysgod c. Cyw iâr d. Wyau e. Ffrwythau f. Iachus g. Afiach

5. Guided writing

Natalie: Fy enw ydy Nathalie. Dw i'n dwlu ar chorizo achos ei fod e'n sbeislyd. Dw i'n eithaf hoffi llaeth/llefrith achos ei fod e'n iachus. Dw i ddim yn hoffi pysgod. Mae'n gas gen i wyau achos eu bod nhw'n ych a fi.

Ifor: Fy enw ydy Ifor. Dw i'n dwlu ar gyw iâr achos ei fod e'n iachus. Dw i'n eithaf hoffi orenau achos eu bod nhw'n felys. Dw i ddim yn hoffi cig coch. Mae'n gas gen i gig achos ei fod e'n afiach.

Julie: Fy enw ydy Julie. Dw i'n dwlu ar fêl achos ei fod e'n felys. Dw i'n eithaf hoffi pysgod achos ei ei fod e'n flasus. Dw i ddim yn hoffi ffrwythau. Mae'n gas gen i lysiau achos eu bod nhw'n ddi-flas

6. Write a paragraph for Ryan in the THIRD person:

Ryan: Mae Caleb yn un deg wyth. Mae e'n/o'n dal, yn olygus, yn athletaidd ac yn gyfeillgar. Myfyriwr ydy e/o. Mae e'n/o'n dwlu ar gyw iâr. Mae e'n/o'n hoffi llysiau. Dydy e/o ddim yn hoffi cig coch. Mae'n gas ganddo fe/fo bysgod/ Mae e'n/o'n casáu pysgod.

Grammar Time 8a – Bwyta/Yfed (Page 89)

1. Match: Dyn ni'n bwyta – We eat **Dw i'n bwyta** – I eat **Mae e'n/o'n bwyta** – He eats **Dych chi'n bwyta** – You *(pl)* eat **Rwyt ti'n bwyta** – You *(sing)* eat **Maen nhw'n bwyta** – They eat **Dydy hi byth yn bwyta** – She never eats

2. Translate into English: a. I eat pasta often. b. He drinks orange juice from time to time c. You *(pl)* never eat meat. d. You *(sing)* eat fish sometimes. e. We drink water everyday. f. They never eat chicken.

3. Match: Dyn ni ddim yn yfed – We don't drink **Dydy e/o ddim yn yfed** – He doesn't drink **Dych chi ddim yn yfed** – You *(pl)* don't drink **Dwyt ti ddim yn yfed** – You *(sing)* don't drink **Dydyn nhw ddim yn yfed** – They don't drink **Dydy hi ddim yn yfed** – She doesn't drink

4. Complete: a. **Dydyn nhw** ddim **yn** yfed llaeth. b. **Rwyt ti'n** yfed dŵr. c. **Dw i** ddim **yn** bwyta cyw iâr. d. **Mae** fy mam yn **bwyta** pasta bob dydd. e. **Dydy hi** ddim **yn** yfed sudd. f. **Maen nhw'n** yfed siocled poeth o bryd i'w gilydd. g. **Mae e'n/o'n** bwyta ffrwythau yn aml. h. **Dych chi'n** bwyta bara bob dydd.

5. Translate into Welsh: a. Dw i byth yn bwyta cig. Dw i ddim yn hoffi cig achos ei fod e'n/o'n afiach. b. Dw i'n bwyta selsig yn anaml. Dw i ddim yn hoffi selsig achos eu bod nhw'n seimllyd. c. Dw i'n yfed sudd ffrwythau yn aml. Dw i'n dwlu ar sudd ffrwythau achos ei fod e'n/o'n flasus ac yn iachus. d. Dw i'n bwyta caws bob dydd. Dw i'n dwlu ar gaws achos ei fod e'n/o'n flasus iawn. e. Dw i'n bwyta llysiau weithiau. Maen nhw'n iachus ond dw i ddim yn hoffi llysiau achos eu bod nhw'n ych a fi.

6. Translate into Welsh: a. Dw i'n bwyta pasta o bryd i'w gilydd. b. Dydy e/o ddim yn yfed sudd oren. c. Dyn ni ddim yn bwyta cig coch. d. Mae hi'n yfed te yn aml. e. Dwyt ti ddim yn bwyta caws bob dydd. f. Dydyn nhw ddim yn yfed dŵr. g. Dw i byth yn yfed llaeth

Grammar Time 8b – Questions (Page 91)

1. Match: Ydy e'n/o'n yfed…? – Does he drink…? **Ydw i'n yfed…?** – Do I drink…? **Wyt ti'n yfed…?** Do you *(sing)* drink…? **Ydyn nhw'n yfed…?** – Do they drink…? **Ydych chi'n yfed…?** – Do you *(pl)* drink…? **Ydy hi'n yfed…?** – Does she drink…? **Ydy Sam yn yfed…?** – Does Sam drink…? **Ydyn ni'n yfed…?** – Do we drink…?

2. Use the words provided to fill the gaps: Ydw, dw i'n bwyta bara. **Wyt**, rwyt ti'n yfed te. **Ydy**, mae e'n/o'n yfed dŵr. **Ydy**, mae hi'n yfed coffi. **Ydyn**, dyn ni'n bwyta cig. **Ydych**, dych chi'n bwyta mêl. **Ydyn**, maen nhw'n yfed sudd.

3. Match question and answer: Ydych chi'n bwyta…? – Ydyn, dyn ni'n bwyta. **Ydyn nhw'n bwyta…?** – Ydyn, maen nhw'n bwyta. **Ydy hi'n bwyta…?** – Ydy, mae hi'n bwyta. **Ydw i'n bwyta…?** – Wyt, rwyt ti'n bwyta. **Wyt ti'n bwyta…?** – Ydw, dw i'n bwyta. **Ydy Sam yn bwyta…?** – Ydy, Mae Sam yn bwyta. **Ydyn ni'n bwyta…?** – Ydych, dych chi'n bwyta. **Ydy e'n bwyta…?** – Ydy, mae e'n bwyta.

4. Translate into English: a. No, she doesn't eat. b. No, I don't drink c. No, we don't drink. d. No, you *(sing)* don't eat. e. No, he doesn't drink. f. No, you *(pl)* don't eat. g. No, we don't drink.

Unit 12 - (Part 2/2)

Talking about food: Likes/dislikes and why

Grammar Times 9 & 10: Possessive pronouns, questions, gendered nouns, and adjectives

Question Skills 2: Jobs, school bag, food

VOCABULARY BUILDING (Page 94)

1. Match: dŵr – water **pysgod** – fish **reis** – rice **brechdanau** – sandwiches **cyw iâr rhost** – roast chicken **cig** – meat **cocos** – cockles **corgimychiaid** – prawns **mêl** – honey **caws** – cheese **selsig** – sausages **mefus** – strawberries **llysiau** – vegetables **ffrwythau** - fruit

2. Complete with the missing words: a. gocos b. salad c. eirin gwlanog d. afalau e. gig f. selsig g. bananas h. fêl

3. Complete the missing letters: a. dŵr b. cig c. ffrwythau d. afiach e. afalau f. byrgyrs g. ysgafn h. mefys i. llawn sudd j. pysgod k. iachus l. reis m. sudd n. selsig o. orenau p. sur q. bara r. sbeislyd

4. Match: galed – tough **llawn sudd** – juicy **flasus** – tasty **iachus** – healthy **dda** – good **ddanteithiol** – delicious **olewog** – oily **ych a fi** – disgusting **felys** – sweet **chwerw** - bitter

5. Sort the items in the appropriate category: Fruit: h i j k l **Vegetable:** p s t u **Adjective:** a b c d e g m x **Fish and Meat:** f n o q r **Dairy:** v w

READING Part 1 (Page 95)

1. Find the Welsh for the words: a. wyau b. te c. felys d. siwgr e. hanner dydd f. cyw iâr g. rhost h. ar ôl i. paned j. mêl k. llysiau l. iachus m. ysgafn n. cinio p. flasus q. tôst

2. Complete the sentences based on Ffred's text: a. breakfast, egg, tea b. sweet, sugar c. noon, roast chicken, vegetables, wáter d. vegetables, healthy e. toast, honey, cup f. rice, fish, vegetables, a piece of cake

3. Find the Welsh in Euros' text: a. Dw i ddim yn bwyta llawer o frecwast b. Amser cinio, dw i'n bwyta c. Dydy byrgyrs ddim yn iach d. i bwdin e. dwy dafell o dôst f. efo llysiau g. ychydig o goffi melys h. Amser te i. reis, pysgod, neu gyw iâr j. achos ei fod e'n flasus k. Mae'n gas ganddi hi gaws

READING Part 2 (Page 96)

4. Who says this: a. Euros b. Ffred c. Euros d. Both e. Ffred f. Both g. Euros h. Euros i. Both j. Both k. Euros l. Ffred

5. Answer the following questions on Gerallt's text: a. Lots b. Banana, egg, toast c. Sweet d. Orange juice e. Chicken and vegetables f. It's bitter and full of vitamins g. Jam and butter h. She says it's unhealthy

6. Find in Gerallt's text: a. Bwdin b. Salad c. Dŵr d. Ham e. Oren f. Hufen iâ g. Ysgafn h. Ysgol i. bwyta j. Menyn k. flasus l. Swper

WRITING (Page 97)

1. Split sentences: Dw i'n hoffi cyw iâr rhost. **I fecwast, dw i'n yfed coffi** gyda llaeth a siwgr. **Dw i'n bwyta tôst gyda** mêl. **Dw i'n hoffi salad** gwyrdd. **Mae cig coch yn** llawn protein. **Mae cyri yn** sbeislyd iawn. **Bananas ydy fy** hoff ffrwythau. **Dw i'n yfed te** neu goffi.

2. Complete with the correct option: a. salad b. bwyta c. dw i'n d. rhost e. gwyrdd f. ham g. fêl h. chwerw i. hoffi j. iach

3. Spot and correct the mistakes: a. bwyta b. yfed c. ddim d. dwlu e. bwyta f. paned g. fod h. neu i. llysiau j. pysgod

4. Complete the words: a. Te b. Cinio c. Brecwast d. Sbeislyd e. Chwerw f. Melys g. Iachus

5. Write a paragraph for Elis, Dafydd and Meurig using FIRST person:

Elis: Fy enw ydy Elis. I ginio, dw i'n bwyta cyw iâr a reis yn y gegin gyda/efo fy mrawd.

Dafydd: Fy enw ydy Dafydd. I ginio, dw i'n bwyta byrgyr yn yr ystafell fwyta gyda/efo fy chwaer.

Meurig: Fy enw ydy Meurig. I ginio, dw i'n bwyta salad yn yr ardd gyda/efo fy mam.

6. Sentence-level translation: a. Dw i'n dwlu ar sudd ffrwythau achos ei fod e'n/o'n felys ac adfywiol. b. Dw i ddim yn hoffi eog achos ei fod e'n/o'n ych a fi. c. Amser te, dw i'n bwyta brechdan caws. d. Bob dydd, dw i'n yfed llaeth/llefrith gyda/efo mêl achos ei fod e'n/o'n felys.

Grammar Time 9 – Personal Pronouns (Page 98)

Drills

1. Match: Dw i ddim yn ei chasáu hi – I don't hate her **Dw i'n ei hoffi fe** – I like him **Dw i'n ei hoffi hi** – I like her **Dw i ddim yn ei hoffi fe** – I don't like him **Dw i'n ei garu fe** – I love him **Dw i ddim yn eu casáu nhw** – I don't hate them **Dw i'n eu caru nhw** – I love them **Dw i ddim yn eu hoffi nhw** – I don't like them

2. Translate into English: a. I hate him. b. I don't love them. c. I like her. d. I don't love her. e. I hate them. f. I don't love him. g. I don't like her. h. I like them.

Grammar Time 9 (Page 99)

3. Complete: a. Dw i'n **ei** hoffi **fe/fo**. b. Dw i ddim yn **eu** caru **nhw**. c. Dw i'n **ei** chasáu **hi**. d. Dw i ddim yn **eu** hoffi **nhw**. e. Dw i'n **ei** garu **fe/fo**. f. Dw i ddim yn **ei** charu **hi**. g. Dw i ddim yn **ei** gasáu **fe/fo**. h. Dw i'n **eu** caru **nhw**.

4. Complete using the correct pronouns: a. Dw i'n **ei** garu **fe/fo**. b. Dw i'n **ei** hoffi **fe/fo**. c. Dw i ddim yn **ei** charu **hi**. d. Dw i ddim yn **eu** caru **nhw**. e. Dw i ddim yn **ei** gasáu **fe/fo**. f. Dw i'n **ei** chasáu **hi**. g. Dw i ddim yn **eu** hoffi **nhw**. h. Dw i'n **ei** garu **fe/fo**.

5. Match using the correct pronouns: a. **Dw i'n hoffi fy nhad** – Dw i'n ei hoffi fe b. **Dw i ddim yn hoffi fy chwaer** – Dw i ddim yn ei hoffi hi c. **Dw i ddim yn casáu fy athrawon** – Dw i ddim yn eu hoffi nhw d. **Dw i'n hoffi fy athrawes** – Dw i'n ei hoffi hi e. **Dw i ddim yn casáu fy athro** – Dw i ddim yn ei gasáu fe f. **Dw i'n caru fy nhad** – Dw i'n ei garu fe g. **Dw i'n caru fy rhieni** – Dw i'n eu caru nhw h. **Dw i ddim yn caru fy nghyfnither** – Dw i ddim yn ei charu hi

6. Translate into Welsh: a. Dw i ddim yn ei hoffi hi. b. Dw i'n ei garu fe/fo. c. Dw i ddim yn ei gasáu fe/fo. d. Dw i'n eu caru nhw. e. Dw i ddim yn ei charu hi. f. Dw i'n eu hoffi nhw. g. Dw i ddim yn ei chasáu hi.

7. Match: ddiflas – boring **hwyl** – fun **hael** – generous **ddrwg** – bad **glyfar** – clever **gyfeillgar** – friendly **garedig** – kind **styfnig** – stubborn **ddoniol** – funny **amyneddgar** – patient

8. Translate into Welsh: a. Dw i'n ei hoffi hi achos ei bod hi'n glyfar. b. Dw i ddim yn ei charu hi achos ei bod hi'n styfnig. c. Dw i ddim yn ei gasáu fe/fo achos ei fod e'n/o'n garedig. d. Dw i'n eu caru nhw achos eu bod nhw'n amyneddgar. e. Dw i ddim yn ei hoffi fe/fo achos ei fod e'n/o'n ddrwg. f. Dw i'n eu hoffi nhw achos eu bod nhw'n hael. g. Dw i ddim yn ei chasáu hi achos ei bod hi'n hwyl. h. Dw i'n ei garu fe/fo achos ei fod e'n/o'n gyfeillgar. i. Dw i ddim yn ei hoffi hi achos ei bod hi'n ddiflas.

Grammar Time 10 – Questions (Page 100)

1. Match: Ble – Where **Beth** – What **Pam** – Why **Pryd** – When **Pwy** – Who **Sut** – How

2. Match: Ble rwyt ti'n cael cinio? – Where do you have dinner? **Pam mae hi'n hoffi siocled?** – Why does she like chocolate? **Pryd rwyt ti'n cael cinio?** – When do you have dinner? **Beth rwyt ti'n fwyta i ginio?** – What do you eat for dinner? **Pryd maen nhw'n cael cinio?** When do they have dinner? **Ble mae e'n cael brecwast?** Where does he have breakfast? **Beth mae hi'n fwyta i ginio?** What does she eat for dinner? **Pam rwyt ti'n hoffi siocled?** – Why do you like chocolate?

Grammar Time 10 – Questions (Page 101)

3. Match questions and answers: Ble mae e'n cael brecwast? – Mae e'n cael brecwast yn y gegin. **Pam mae hi'n hoffi siocled?** – Mae hi'n hoffi siocled achos ei fod e'n flasus. **Ble rwyt ti'n cael cinio?** – Dw i'n cael cinio yn yr ysgol. **Pryd rwyt ti'n cael cinio?** – Dw i'n cael cinio am hanner dydd. **Beth mae hi'n fwyta i ginio?** – I ginio, mae hi'n bwyta pysgod a sglodion. **Beth rwyt ti'n fwyta i ginio?** – I ginio, dw i'n bwyta brechdan gaws. **Pryd maen nhw'n cael cinio?** – Maen nhw'n cael cinio am un o'r gloch. **Pam rwyt ti'n hoffi siocleld?** – Dw i'n hoffi siocled achos ei fod e'n felys.

4. Translate into Welsh: a. Pryd b. Ble c. Pam d. Beth e. Sut f. Pwy

5. Translate into Welsh: a. Beth rwyt ti'n fwyta i swper? b. Ble mae e'n cael brecwast? c. Pryd maen nhw'n cael cig? d. Pam rwyt ti'n hoffi pysgod? e. Beth mae hi'n fwyta i de? f. Pryd rwyt ti'n cael brecwast? g. Ble rwyt ti'n cael cinio? h. Pam mae hi'n hoffi caws?

6. Match the most likely answers: Ble? – yn yr ysgol **Beth?** – brechdan **Pam?** – achos ei fod o'n flasus **Pwy?** – fy athro **Pryd?** – hanner dydd

7. Provide the questions to the following answers: a. Beth rwyt ti'n fwyta i ginio? b. Ble rwyt ti'n cael cinio? c. Pam rwyt ti'n hoffi mêl? d. Pryd rwyt ti'n bwyta cawl? e. Pryd mae hi'n bwyta bara? f. Beth maen nhw'n bwyta i swper? g. Ble mae e'n/o'n bwyta ffrwythau?

Revision Quikie: Questions with 'OES' (Page 102)

1. Match up questions and answers: Oes gennyt ti frawd? – Oes, mae gen i frawd. **Oes ganddo fe frawd?** – Oes, mae ganddo fe frawd. **Oes ganddi hi gi?** – Oes, mae ganddi hi gi. **Oes gennych chi gi?** – Oes, mae gennym ni gi. **Oes ganddyn nhw chwaer?** – Oes, mae ganddyn nhw chwaer.

2. Match up questions and answers: Oes gennyt ti gath? – Nac oes, does gen i ddim cath. **Oes ganddo fe gath?** – Nac oes, does ganddo fe ddim cath. **Oes gennych chi bensil?** – Nac oes, does gennym ni ddim pensil. **Oes ganddyn nhw bensil?** – Nac oes, does ganddyn nhw ddim pensil. **Oes ganddi hi lyfr?** – Nac oes, does ganddi hi ddim llyfr.

3. Complete: a. gennyt b. gen c. ganddo d. gennym e. ganddoch f. ganddi g. ganddyn h. ganddyn
i. ganddo

4. Translate into Welsh: a Oes gennyt ti frawd? b. Oes, mae gen i frawd. c. Oes ganddi hi chwaer?
d. Nac oes, does ganddi hi ddim chwaer. e. Oes ganddi hi lyfr? f. Oes, mae ganddi hi lyfr. g. Oes
ganddoch chi gath? h. Oes, mae gennym ni gath. i. Oes ganddyn nhw gi?

Grammar Time 10 (Part 2): Gendered nouns and adjectives (Page 104)

1. Sort these nouns by gender: Masculine – tad, ci, brawd, crwban, ewythr, cefnder, mab, bochdew
Feminine – chwaer, cath, cyfnither, hwyaden, llygoden, merch, neidr, cwnignen

2. Add the soft mutation for each adjective: dal, fawr, gryf, fyr, bert, ddoniol, fach, olygus, garedig

3. Choose the correct option: a. fach b. caredig c. cryf d. fyr e. doniol f. ddeallus g. dew h. bach
i. bach j. garedig k. gryf l. byr m. mawr n. fawr

4. Insert the correct form of the adjective: a. garedig b. gryf c. tal d. bert e. mawr f. dal g. cryf
h. bach i. doniol j. fawr k. fach

5. Translate into Welsh: a. Mae gen i chwaer garedig. b. Mae gennyt ti frawd cryf. c. Mae ganddi hi
fam dal. d. Mae gennym ni fodryb ddoniol. e. Mae ganddo fe/fo ferch bert. f. Does gennym ni ddim
cath fawr. g. Mae ganddyn nhw gi bach. h. Does gen i ddim bochdew mawr.

Question Skills 2 (Page 105)

1. Match questions and answer: Beth sy yn dy fag? – Yn fy mag, mae gen i gas pensil a llawlyfr.
Pam dwyt ti ddim yn hoffi byrgyrs? – Achos eu bod nhw'n ych a fi. **Beth ydy swydd dy dad?** –
Nyrs ydy e. **Sawl pensil sy gennyt ti?** – Tri **Pa fath o ffrwythau sy'n well gennyt ti?** – Mae'n well
gen i afal a banana. **Beth ydy dy hoff fwyd?** – Fy hoff fwyd ydy pysgod a sglodion. **Sut mae'r
siocled?** – Mae'n felys iawn. **Oes gennyt ti bensil?** – Nac oes **Ble mae'r athro yn gweithio?** –
Mewn ysgol. **Faint of fisgedi sy gennyt ti?** - Mae gen i bum bisged. **Pa fath o lyfr sy gennyt ti?** –
Mae gen i lyfr ysgrifennu. **Sut mae'r pasta?** – Mae'n sbeislyd iawn. **Pam rwyt ti'n dwlu ar gyw
iâr?** – Dw i'n dwlu arno fe achos ei fod e'n flasus. **Pryd rwyt ti'n bwyta bara?** – Dw i'n ei fwyta fe
yn y bore.

2. Complete with the missing workds: a. Faint b. Pryd c. Sawl d. Oes e. Pa fath o f. Sut g. Ble

3. Translate the following question words into English a. How many? b. From where? c. When?
d. How e. Why? f. Who? g. How much? h. Which one? i. Where? j. What type/sort?

4. Complete: a. Sut mae'r bwyd? b. Beth ydy dy hoff fwyd? c. Oes gennyt ti laeth/lefrith d. Sawl
pensil sy gennyt ti? e. Pryd wyt ti'n bwyta pysgod? f. Pa fath o lysiau sy gennyt ti?

5. Translate into Welsh: a. Pryd rwyt ti'n bwyta bisgedi? b. Sawl llyfr sy gennyt ti? c. Pa fath o fwyd
wyt ti'n hoffi? d. Pa fath o fara sy'n well gennyt ti? e. Beth sy yn dy gas pensil? f. Pam dwyt ti ddim
yn hoffi pysgod? g. Oes gennyt ti fag?

Unit 13 - Talking about clothes
Grammar Time 11: Verbs and Prepositions
Revision Quickie 3: Jobs, food, clothes, numbers 20-100

VOCABULARY BUILDING (Page 108)

1. Match up: clustdlysau – earrings **crys t** – T-shirt **ffrog** – dress
esgidiau hyfforddi – trainers **trowsus** – trousers **siwt** – a suit **cap pêl-fas** – a
baseball cap

2. Translate into English: a. I wear a black T-shirt b. I wear a grey suit. c. I don't wear shoes d. I
wear a blue cap. e I don't wear a watch f. I never wear earrings. g. I wear a tracksuit and shoes. h. I
never wear a vest. i. I always wear sandals.

3. Complete with the missing word: a. i'n, crys t. b. trowsus du c. gwisgo, las d. traeth, gwisg nofio
e. Yn y, ffrog, sodlau uchel f. dw i'n gwisgo, hyfforddi

4. Anagrams: a. Cap b. Oriawr c. Siwt d. Clustdlysau e. Esgidiau f. Crys g. Trowsus h. Siaced
i. Crys t j. Ffrog k. Het l. Mwclis

5. Associations: 1. pen: cap pêl-fas, het **2. traed:** esgidiau, bŵts **3. coesau:** hosanau, trowsus, sgert
4. gwddf: sgarff, tei, mwclis **5. Brest:** siaced, crys, gwasgod, siwmper **6. clustiau:** clustdlysau
7. arddwrn: oriawr

6. Complete: a. bŵts b. Gartref c. oriawr d. tei e. siwt f. gwasgod g. du

READING (Page 109)

1. Find the Welsh for the words in Rhiannon's text: a. Cymraes ydw i b. athletaidd c. lawer o
ddillad d. dillad ffasiynol e. tracwisg f. Pan dw i'n mynd allan g. gyda fy nghariad h. clustdlysau
i. ffrog goch neu ddu j. sodlau uchel

2. Find the Welsh for the words in Miguel's text: a. Pan dw i'n mynd b. dw i'n gwisgo crys
c. crys t a jîns d. Gartref e. trowsus byr f. efo fy ffrindiau g. siaced h. trowsus du i. esgidau
hyfforddi j. fel arfer

3. Complete the following statements about Tomos: a. 13 b. clothes c. shoes d. a coat, and black,
purple, trousers e. sports jacket

4. Answer in Welsh the questions about Snadra: a. 12 b. dillad hardd c. Zara d. siaced chwaraeon a
thracwisg e. crys t a throwsus byr

5. Find someone who: a. Rhiannon b. Sandra c. Miguel d. Rhiannon e. Rhiannon f. Miguel
g. Miguel h. Miguel

WRITING (Page 110)

1. Split sentences: Yn y tŷ, dw i'n gwisgo tracwisg Pan mae hi'n oer, dw i'n gwisgo sgarff **Yn y
gampfa, dw i'n gwisgo** crys t a siorts **Pan mae hi'n boeth, dw i'n gwisgo** sbectol haul **Dw i byth yn
gwisgo jîns** Levi's **Pan dw i'n mynd i glwb nos,** dw i'n gwisgo sodlau uchel **Dw i'n gwisgo sgarff**
wen **Dw i'n gwisgo crys** du

2. Complete with the correct option: a. pan, ffrindiau b. gwisgo c. esgidiau d. gwisg nofio e. hi'n,
crys f. i'n g. cot h. byth yn

3. Spot and correct the grammar and spelling mistakes: a. o b. gwisgo c. gwisgo d. hoffi e. mrawd f. canolfan g. gwisgo

4. Complete the words: a. Sgert b. Siwt c. Clustdlysau d. Trowsus e. Esgidiau f. Sgarff g. Tracwisg

5. Write a paragraph for Eleri, Iestyn and Ceri using FIRST person:

Eleri: Fy enw ydy Eleri. Dw i'n byw yng Nghaerfyrddin. Dw i'n gwisgo ffrog ddu bob amser. Dw i byth yn gwisgo trowsus. Mae'n gas gen i wisgo clustdlysau.

Iestyn: Fy enw ydy Iestyn. Dw i'n byw ym Mhorth. Dw i'n gwisgo crys t gwyn bob amser. Dw i byth yn gwisgo côt. Mae'n gas gen i wisgo oriawr.

Ceri: Fy enw ydy Ceri. Dw i'n byw yn Llandudno. Dw i'n gwisgo jîns bob amser. Dw i byth yn gwisgo trowsus byr. Mae'n gas gen i wisgo sgarff.

6. Describe this person in Welsh using th third person: Enw fy ffrind ydy Betsan. Mae hi'n byw yn Llundain. Mae hi'n ddau ddeg. Mae ganddi hi bry copyn du. Mae ganddi hi wallt golau a llygaid gwyrdd. Mae hi'n gwisgo siwt bob amser. Dydy hi byth yn gwisgo jîns. Yn y gampfa, mae hi'n gwisgo tracwist Adidas.

Grammar Time 11 – Verbs and Prepositions (Page 111)

Drills

1. Missing Words: a. codi am b. teimlo dros c. ysgrifennu at d. cytuno â

e. mynd i f. siarad â g. edrych ar h. ymateb i

2. Complete with the missing words: a. at b. ar c. am d. ar e. am

Grammar Time 11 (Page 112)

3. Complete with the correct preposition: a. am b. â c. â d. ar

4. Match the verb to the preposition: ysgrifennu at **ymweld â** edrych ar **gofyn am cytuno â ymateb i** sôn am **codi arian** at

5. Complete the correct prepositions: a. am b. i c. â d. ar e. at f. â g. dros

6. Translate into English: a. I'm waiting for my friend, Barri. b. I hate looking for my phone. c. You *(pl)* are going to the town. d. I agree with you *(sing)*. e. I'm writing to my brother f. She is listening to the radio. g. He is looking at YouTube.

7. Faulty translations: a. Dw i'n ysgrifennu at y cyngor. b. Mae e'n cytuno â thi. c. Mae hi'n chwilio am yr ateb. d. Rwyt ti'n siarad â fi am Snapchat. e. Wyt ti'n aros am y bws?

8. Translate into Welsh: a. Dw i ddim yn cytuno â thi. b. Mae e'n/o'n dysgu am TikTok. c. Mae hi'n ymweld â ffrindiau heddiw. d. Dw i'n ysgrifennu e-bost at fy mam. e. Dw i'n talu am yr esgidiau. f. Dyn ni'n aros am fy chwaer. g. Mae e'n/o'n codi arian at yr ysgol.

Revision Quickie 3 (Page 113)

1. Complete: a. cant b. naw deg c. tri deg d. pum deg e. wyth deg f. chwe deg g. pedwar deg

2. Translate into English: a. suit b. drink c. chicken d. skirt e. potatoes f. water g. meat h. seafood i. fish j. scarf k. shoes l. vegetables m. juice n. dinner/lunch

3. Write in a word for each letter in the categories below: S – sgarf, salad, saith, saer T- trowsus, tatws, tri, trinwr gwallt P- x, pysgod, pump, periannydd M- mwclis, mêl, mil, mecanydd A- x, afal, x, athro/athrawes (Any appropriate answers are acceptable in this activity)

4. Match: Dw i'n gwisgo – I wear **Mae gen i** – I have **Dw i'n** – I am **I swper, dw i'n cael** – For supper, I have **Dw i'n bwyta** – I eat **Dw i'n yfed** – I drink **Dw i'n gweithio** – I work **I ginio, dw i'n cael** – For dinner, I have **Dw i'n byw** – I live **Mae** – There is/are **Fy enw ydy** – My name is

5. Translate into English: a. I never wear shirts. b. I always have toast and jam for tea. c. I work in a shop. d. I drink coffee often. e. I don't drink pop/fizzy drinks. f. I always have eggs for breakfast. g. My mum is a business woman. h. I don't have any branded clothes.

Unit 14 - Saying what I and others do in our free time
Grammar Time 12: CAEL, DOD, MYND, GWNEUD

VOCABULARY BUILDING (Page 116)

1. Match up: Dw i'n chwarae gwyddbwyll – I play chess **Dw i'n loncian** – I am jogging **Dw i'n marchogaeth** – I horse-ride **Dw i'n chwarae cardiau** – I play cards **Dw i'n mynd i feicio** – I go biking **Dw i'n nofio** – I swim **Dw i'n dawnsio** – I dance **Dw i'n chwarae pêl-fasged** – I play basketball

2. Complete with the missing word: a. gwyddbwyll b. Dw i'n c. chwarae d. seiclo e. pêl-fasged f. bysgota g. traeth h. parc i. gampfa j. mynydd

3. Translate into English: a. I go biking everyday. b. I go to the swimming pool often. c. I climb every week. d. I horse-ride often. e. I play chess when the weather is bad.

4. Broken words: a. codi pwysau b. nofio c. bysgota d. seiclo e. gwyddbwyll f. glybio g. cardiau h. marchogaeth

5. 'Dw i'n', 'Dw i'n chwarae' neu 'Dw i'n mynd': a. Dw i'n chwarae b. Dw i'n mynd i c. Dw i'n chwarae d. Dw i'n chwarae e. Dw i'n mynd f. Dw i'n mynd g. Dw i'n chwarae h. Dw i'n

6. Bad translation: a. I go clubbing rarely. b. I play chess sometimes. c. I dance twice a week. d. I go fishing sometimes. e. I play chess once a week. f. When the weather is good, I go biking.

READING (Page 117)

1. Find the Welsh for the words in Thomas' text: a. dw i'n gwneud llawer o chwaraeon b. Dw i'n dwlu ar c. dringo d. bob wythnos e. Pan mae'r tywydd yn wael f. dw i'n aros gartref g. Dw i'n chwarae ar y 'Playstation

2. Find the Welsh for the words in Ronan's text: a. Dw i'n dwlu ar fynd i feicio b. gyda fy ffrindiau c. Weithiau d. Mae'n gas gen i nofio e. dw i'n mynd i glybio f. dringo g. fy ffrind, Julien

3. Complete the following statements about Veronica: a. Spain b. sporty c. chess d. jogging e. brother f. swimming pool

4. List 8 details about Rhian: 1. She's Welsh 2. She likes reading books and newspapers 3. She likes playing cards and chess 4. She's not very sporty 5. She goes to the gym and lifts weights 6. On the weekend, when the weather is good, she likes to walk in the countryside with her dog 7. The dog is called Gelert 8. The dog is big and white

5. Find someone who: a. Veronica b. Veronica c. Ronan d. Rhian e. Ronan

TRANSLATION (Page 118)

1. Gapped translation: a. never b. basketball c. rarely d. wael e. cardiau f. seiclo g. Once a week h. dda

2. Translate into English: a. Rarely b. Sometimes c. When the weather is bad d. To my friend's house e. every day f. I climb g. I go to the leisure centre

3. Translate into English: a. I never go fishing with my dad. b. In my spare time, I play cards with my brother. c. I go swimming twice a week. d. I play chess every week. e. I play Playstation with my brother rarely. f. I go to the disco every Saturday.

4. Translate into Welsh: a. beicio b. dringo c. pêl-fasged d. pysgota e. pwysau f. gemau fideo g. gwyddbwyll h. cardiau i. marchogaeth j. loncian

Translate into Welsh: a. Dw i'n loncian. b. Dw i'n chwarae gwyddbwyll. c. Dw i'n dringo. d. Dw i'n mynd i nofio. e. Dw i'n hoffi marchogaeth. f. Dw i'n codi pwysau. g. Dw i'n mynd i glybio. h. Dw i'n chwarae gemau fideo. i. Dw i'n mynd i feicio. h. Dw i'n chwarae tenis gyda/efo ffrindiau.

WRITING (Page 119)

1. Split sentences: Dw i byth **yn dringo craig** Dw i'n chwarae gwyddbwyll yn **aml** Dw i'n mynd i dŷ **fy ffrind, Ioan** Dw i'n loncian yn y **parc** Dw i'n chwarae **cardiau** Dw i'n gwneud llawer o **chwaraeon** Dw i'n mynd **i feicio weithiau** Dw i'n codi pwysau **yn y gampfa**

2. Complete the sentences: a. Dw b. chwarae c. Dw i'n d. amser e. bob f. dŷ g. amser h. pwysau i. gwaith

3. Spot the mistakes and write the corrected sentence: a. Dw i'n **chwarae** tenis b. Dw i'n **chwarae gwyddbwyll** c. Dw i'n mynd **i** dŷ fy ffrind d. Dw i'n mynd **i** feicio yn anaml e. Dw i'n **gwneud** gwaith cartref f. Dw i'n **mynd i** nofio g. Dw i'n **codi** pwysau

4. Complete the words: a. gwyddbwyll b. pêl-fasged/ pêl-droed c. dawnsio d. gemau fideo e. marchogaeth f. weithiau g. bob wythnos

5. Write a paragraph for each of the people below in the first person singular (I)

Kellie: Fy enw ydy Kellie. Dw i'n mynd i nofio. Dw i'n mynd i nofio bob dydd. Dw i'n mynd i nofio gyda/efo fy nghariad. Dw i'n hoffi nofio achos ei fod e'n/o'n hwyl.

Amanda Fy enw ydy Amanda. Dw i'n codi pwysau. Dw i'n codi pwysau yn aml. Dw i'n codi pwysau gyda/efo fy ffrind, James. Dw i'n codi pwysau gartref. Dw i'n hoffi codi pwysau achos ei fod e'n/o'n ddiddorol.

Carys: Fy enw ydy Carys. Dw i'n loncian. Dw i'n loncian pan mae'r tywydd yn dda. Dw i'n loncian gyda fy nhad. Dw i'n loncian yn y parc. Dw i'n hoffi loncian achos ei fod e'n/o'n iachus.

Grammar Time 12 – CAEL, DOD, MYND, GWNEUD (Page 121)

1. Match up: Rwyt ti'n gwneud – You're *(sing)* doing **Dw i'n gwneud** – I'm doing **Mae o'n cael** – He's having **Dyn ni'n mynd** – We are going **Maen nhw'n dod** – They're coming **Dych chi'n mynd** – You're *(pl)* going

2. Complete with the correct conjugation of BOD: a. Dw b. Mae c. Dyn d. Maen e.Mae f. Rwyt g. Dych h. Mae i. Mae j. Dyn

3. Write the correct conjugation (mynd): a. Dw i'n mynd b. Rwyt ti'n mynd c. Mae hi'n mynd d. Dyn ni'n mynd e. Dych chi'n mynd f. Maen nhw'n mynd g. Mae fy mrawd yn mynd h. Mae e'n mynd i. Rwyt ti a fi yn mynd

4. Complete the questions with the correct verb: a. gwneud b. cael c. mynd d. dod e. gwneud f. mynd g. gwneud h. cael i. mynd j. dod

5. Spot and correct the translation mistakes: a. I'm taking a drink to the gym b. She's making a pizza c. They're taking food d. You *(sing)* are having supper e. He's going to the garden

6. Complete with the correct pronouns: a. ti'n b. ni'n c. chi'n d. e'n e. nhw'n f. hi'n

7. Complete with a suitable location: a. mynd b. gwneud *or* cael c. cael d. gwneud e. mynd f. cael g. gwneud h. mynd

8. Complete with a suitable sport/activity: a. mynd b. Dych c. cael d. nhw'n e. mynd f. mynd

g. mynd h. Mae i. ti'n j. Dyn, mynd k. i, i'r

9. Translate into English: a. She has a shower at eight o'clock b. Can you bring a drink from the house? c. Do you want to make a cake? d. We are coming from the garden e. Are you going into town at one o'clock? f. I need to do homework g. They want to have a shower

10. Translate into Welsh: a. Dyn ni'n mynd i'r ardd b. Wyt ti eisiau cael cinio? c. Mae hi'n mynd â bwyd i'r pwll nofio. d. Dyn ni'n gwneud jiwdo a gymnasteg e. Wyt ti'n gallu mynd i'r parc am un o'r gloch? f. Maen nhw'n mynd i'r parc g. Dw i eisiau gwneud cacen h. Wyt ti'n gallu dod â bwyd o'r siop? i. Maen nhw'n cael brecwast j. Dw i eisiau mynd â brechdan i'r ysgol k. Dw i'n dod o'r siopiau l. Mae e'n mynd â snac i'r garej

Unit 15 - Talking about weather and free time
Grammar Time 13: Time
Revision Quikie 4 and Question Skills 3: Clothes / Free time / Weather

VOCABULARY BUILDING 1 (Page 125)

1. Match up: Pan – When **Mae'n oer** – It's cold **Mae'n boeth** – It's hot **Mae'r tywydd yn braf** – The weather good **Mae'r tywydd yn wael** – The weather is bad **Mae'n glir** – It's clear **Mae'n bwrw glaw** – It's raining

2. Translate into English: a. When it is cold. b. When it rains. c. It's clear d. When it's hot. e. When it snows. f. When the weather is good. g. When it's foggy. h. I play tenis. i. I ski.

3. Complete the missing word: a. wael b. bwrw glaw, oer c. mae'n, boeth d. aros e. braf f. mae'n stormus g. wael h. heulog

4. Anagrams: a. Braf b. Gymylog c. Boeth d. Wyntog e. Niwlog f. Bwrw Eira g. Bwrw Glaw h. Oer i. Tywydd j. Glaw k. Eira l. Stormus

5. Associations: 1. Tywydd gwael: Dw i'n aros gartref, Dw i'n gwneud dim byd, Dw i'n gwylio'r teledu, pyjamas 2. Tywydd braf: y traeth, siorts, het, mynydd*, gwisg nofio 3. Bwrw eira: bŵts eira, sgïo, mynydd* het, sgarff

6. Complete: a. braf b. gartref c. bwrw glaw d. hoffi e. mynd f. mae'n

VOCABULARY BUILDING 2 (Page 126)

1. Match up: Dw i'n chwarae tenis – I play tennis **Dw i'n chwarae cardiau** – I play cards **Dw i'n marchogaeth** – I horse-ride **Dw i'n mynd i glybio** – I go clubbing **Mae Jac yn mynd i bysgota** – Jack goes fishing **Yn ei ystafell wely** – In his bedroom **Nofio** - Swimming

2. Complete the missing word: a. ystafell wely b. mynd c. dŷ, ffind d. ganolfan hamdden e. gwneud f. penwythnos

3. Translate into English: a. To my friends house. b. I horse-ride. c. It's clear. d. I climb. e. He jogs. f. Go to the leisure centre g. I go to the swimming pool.

4. Anagrams: a. Gwyddbwyll b. Nofio c. Sgïo d. Cardiau e. Beicio f. Pêl-droed g. i Glybio h. Pêl-fasged i. Codi Pwysau j. Traeth k. i Bysgota l. Seiclo

5. Broken words: a. Dw i'n chwarae pêl-droed efo fy ffrindiau. b. Mae fy modryb, Maria, yn chwarae cardiau. c. Dw i'n mynd i dŷ fy ffrind. d. Mae Jac yn mynd i'r ganolfan hamdden. e. Dw i'n marchogaeth gyda fy ffrindiau. f. Mae fy ffrind yn aros gartref ac yn gwneud gwaith cartref.

6. Complete: a. gwaith cartref b. gartref c. nofio d. mynd e. Dw i'n f. sgïo, mynydd

READING (Page 127)

1. Find the Welsh in Pedr's text: a. Dw i'n dod o b. Dw i'n un deg un c. dw i'n ei hoffi hi d. pan e. mae'n heulog f. mynd i'r parc g. gyda fy nghi h. fach ac yn ddu

2. Find the Welsh for the words in Chloe's text: a. Pan mae'n boeth b. a chlir c. dw i'n nofio d. dw i'n mynd i bysgota e. Mae'n ddiflas weithiau f. dw i'n mynd i glybio g. crys t h. aros gartref

3. Complete the following statemets about Isabela: a. 15 b. shirts, jackets c. stormy d. video games, cards, older e. cold f. speak

4. Answer the questions about Anna Laura: a. Mae hi'n dod o Ddwyrain Cymru b. Mae hi'n un deg dau c. Mae hi'n hoffi'r tywydd oer *or* Mae hi'n dwlu ar y tywydd oer d. Dydy hi ddim yn hoffi'r tywydd poeth. e. Maen nhw'n mynd i'r ganolfan siopa

5. Find someone who: a. Chloe b. Isabela c. Anna Laura d. Isabela e. Isabela f. Chloe g. Pedr h. Anna Laura i. Chloe

WRITING (Page 128)

1. Split sentences: Dw i'n ei hoffi hi pan **mae'n oer** Dw i ddim yn **hoffi'r glaw** Pan mae'n **braf, dw i'n mynd i'r parc** Pan mae'n oer iawn, dw i'n gwisgo **cot a sgarff** Pan mae'r tywydd yn stormus, dw i'n **aros gartref** Pan mae'n bwrw eira **dw i'n hoffi sgïo** Pan mae'r tywydd **yn heulog dw i'n mynd i'r traeth**

2. Complete with the correct option: a. Pan, oer b. eira c. mae'r, aros d. mae'n, traeth e. heulog f. cefn g. dŷ

3. Underline and correct the errors: a. i'n b. gymylog, chwarae c. tywydd d. mae'r, wael e. dw i ddim yn f. mynd, i'r, traeth g. mae'n, Mae e'n h. gwisgo, efo

4. Complete the words: a. oer b. boeth c. gymylog d. niwlog e. stormus f. wyntog g. pan

5. Guided writing – write 3 short paragraphs in the first person (I)

Martha: Fy enw ydy Martha. Dw i'n byw yng Nghaerdydd. Pan mae'r tywydd yn dda, dw i'n mynd i'r parc gyda/efo fy ffrindiau.

Jac: Fy enw ydy Jac. Dw i'n byw ym Mangor. Pan mae'n boeth ac yn heulog, dw i'n mynd i'r traeth gyda/efo fy nghi.

Sioned: Fy enw ydy Sioned. Dw i'n byw yn Llangrannog. Pan mae'n oer ac yn bwrw glaw, dw i'n aros gartref gyda/efo fy chwaer hŷn.

6. Describe this person in Welsh sing the third person

Paula: Mae Paula yn byw yng Nghaernarfon. Mae hi'n un deg tri. Mae ganddi hi gi gwyn. Pan mae'n heulog ac yn boeth, mae hi'n mynd i'r cefn gwlad ac i'r mynydd. Dydy hi byth yn aros gartref ac yn gwneud gwaith cartref.

Grammar Time 13 – Time (Page 130)

1. Match: a. pum munud – **five minutes** b. o'r gloch – **o'clock** c. ugain munud – **twenty minutes** d. chwarter – **quarter** e. ddeg munud – **ten minutes**

2. Complete the sentences: a. chwech b. gloch c. chwarter d. tua e. o'r f. a g. 'n h. hanner

3. Complete the sentences a. ugain munud wedi tri b. hanner awr wedi deuddeg c. bum munud ar hugain i un d. ddeg munud i bump e. unarddeg o'r gloch. f. bum munud i wyth

4. Write the correct number: a. dri b. phump c. ddau d. saith e. un f. bump

5. Write the times in Welsh: a. ddau o'r gloch b. bedwar o'r gloch c. ugain munud i un d. chwarter i bedwar e. hanner awr wedi dau f. ugain munud wedi naw g. ddeg munud i wyth h. dri o'r gloch

6. Translate into Welsh: a. Mae hi'n bum munud i chwech b. Cyn hanner awr wedi tri c. Ar ôl chwarter wedi pump d. Tua phedwar o'r gloch e. Am ddeg munud i ddeg f. Tua phump o'r gloch g. Am ugain munud i ddau h. Mae hi'n ddeg o'r gloch i. Tua phum munud i un

Revision Quickie 4 (Page 131)

1. Match up: Dw i'n aros yn fy nhŷ – I stay in my house   **Dw i'n gwneud chwaraeon** – I do sport
Dw i'n chwarae pêl-fasged – I play basketball **Dw i'n chwarae cardiau** – I play cards   **Dw i'n
mynd i'r eglwys** – I go to church   **Dw i'n mynd i'r pwll nofio** – I go to the swimming pool **Dw i'n
mynd i'r gampfa** – I go to the gym **Dw i'n mynd i nofio** – I go swimming   **Dw i'n marchogaeth** - /i
horse ride **Dw i'n mynd i'r traeth** – I go to the beach   **Dw i'n dringo craig** – I rock climb

2. Weather - Complete: a. b**w**r**w** e**ira** b. **o**er c. **h**eulog d. **s**tormus e. b**w**r**w** glaw f. **w**yntog
g. **b**oeth h. **b**raf i. **w**ael

3. Fill in the gaps: a. oer, cot b. wael, aros c. mae, heulog, traeth d. gampfa, dw i'n, tracwisg
e. boeth, loncian f. d**w i'n**, gwneud, gwaith g. Dw i'n, dringo, craig

4. Translate into Welsh: a. Pan mae'n boeth b. Pan mae'n oer c. Dw i'n chwarae pêl-fasged
d. Dw i'n gwneud fy ngwaith cartref e. Dw i'n dringo craig f. Pam mae gen i amser g. Dw i'n mynd
i'r pwll nofio h. Dw i'n mynd i'r gampfa

5. Translate into Welsh: a. Dw i'n gwisgo cot b. Dw i'n gwisgo gwisg ysgol bob dydd
c. Maen nhw'n chwarae pêl-fasged bob wythnos d. Mae hi'n mynd i ddringo craig ddwywaith yr
wythnos e. Mae ganddo fe amser sbâr f. Maen nhw'n mynd i nofio yn anaml g. Mae fy rhieni yn
gwneud chwaraeon unwaith yr wythnos h. Mae hi'n chwarae pêl-droed yn aml

Question Skills 3 (Page 132)

1. Translate into English: a. What clothes do you wear when it is cold? b. What do you like wearing?
c. What do you do in your spare time? d. Do you do sport? e. How often do you play basketball?
f. Why don't you like football? g. Where do you climb? h. What is your favourite sport?

2. Complete with the missing question word: a. Ble b. Pa c. Beth d. Pryd e. Beth f. phwy g. Pa

3. Split sentences: Beth rwyt ti'n wneud **yn dy amser sbâr** Gyda phwy wyt ti'n **chwarae
gwyddbwyll** Pam **rwyt ti'n hoffi tenis** Ble rwyt ti'n mynd **i ddringo** Beth rwyt ti'n **wneud pan mae
hi'n oer?** Pa un ydy **dy hoff chwaraeon** Oes gennyt ti **ddillad newydd** Pa ddillad wyt **ti'n gwisgo
pan mae hi'n boeth**

4. Translate into Welsh: a. Beth? b. Ble? c. Sut? d. Pryd? e. Pam? f. Faint? g. Sawl? h. O ble?
i. Pa?

5. Write the questions to the answers: a. Beth wyt ti'n wisgo pan mae hi'n oer? b. Beth wyt ti'n
wneud ar y penwythnos? c. Pryd rwyt ti'n mynd i'r gampfa? d. Sawl crys t sy gennyt ti? e. Gyda
phwy wyt ti'n chwarae tenis? f. Ble rwyt ti'n nofio?

6. Translate into Welsh: a. Ble rwyt ti'n chwarae tenis? b. Beth wyt ti'n wneud yn dy amser sbâr?
c. Faint o esgidiau sy gennyt ti? d. Beth ydy dy hobi? e. Wyt ti'n gwneud chwaraeon yn aml?
f. Faint o'r gloch wyt ti'n gwneud dy waith cartref?

VOCABULARY BUILDING (PART 1) (Page 135)

1. Match up: Dw i'n codi – I get up **Dw i'n mynd i'r ysgol** – I go to school **Dw i'n mynd i'r gwely** – I go to bed **Dw i'n cael cinio** – I have lunch **Dw i'n cael swper** – I have supper **Dw i'n cael brecwast** I have breakfast **Dw i'n gorffwys** – I rest **Dw i'n mynd adre** – I go home

2. Translate into English: a. I get up at six o'clock. b. I rest at eleven o'clock. c. I have lunch at midday. d. I have breakfast at six o'clock. e. I go home at half past three. f. I have supper about eight o'clock. g. I watch the TV.

3. Complete with the missing words: a. mynd b. gadael c. mynd d. gwylio'r e. cael f. brwsio g. cael h. cael

4. Complete with the missing letters: a. gorffwys b. Dw, adre c. cyrraedd d. brecwast e. i'n, cael, swper f. mynd g. i'n codi h. i'n, i'r i. gwisgo

5. Faulty translation: a. I have lunch. b. I leave the house. c. I arrive at school. d. I rest. e. I watch. the TV. f. I brush my teeth. g. I go to school. h. I do my homework.

6. Translate into Welsh: a. Am hanner awr wedi chwech. b. Am chwarter wedi saith. c. Am ugain munud wedi wyth. d. Am ddeuddeg o'r gloch./Am hanner dydd. e. Am chwarter i ddeg. f. Am un ar ddeg o'r gloch. g. Am ddeuddeg o'r gloch./Am hanner nos.

VOCABULARY BUILDING (PART 2) (Page 136)

1. Complete the table: **Dw i'n mynd i'r gwely** – I go to bed **Dw i'n brwsio fy nannedd** – I brush my teeth **Dw i'n codi** – I get up **Dw i'n mynd adre** – I go home **Am chwarter i wyth** – At quarter to eight **Dw i'n cael cinio** – I have lunch **Dw i'n cael swper** – I have supper **Dw i'n gwisgo** – I get dressed **Dw i'n gadael y tŷ** – I leave the house **Dw i'n cael brecwast** – I have breakfast **Dw i'n gorffwys** – I rest **Dw i'n gwneud fy ngwaith cartref** – I do my homework **Dw i'n gadael y tŷ** – I leave the house

2. Complete the sentences: a. saith b. Tua c. bore d. hanner nos e. un ar ddeg f. i dri g. hanner dydd h. gloch i. Tua j. wyth

3. Translate into English: a. At 8.30 b. At 9.15 c. At 9.45 d. At midday/noon e. At midnight f. At 10.55 g. At 12.20 h. About 2.00

4. Complete: a. Am chwarter i wyth b. Am hanner nos c. Am hanner dydd d. Am hanner awr wedi pump e. Tua chwarter wedi wyth f. Am hanner awr wedi un ar ddeg g. Tua un o'r gloch

5. Translate into Welsh: a. Dw i'n cael cinio am hanner awr wedi saith. b. Dw i'n mynd i'r gwely am hanner nos. c. Dw i'n cael brecwast am chwarter i saith. d. Dw i'n cael cinio am hanner dydd. e. Dw i'n cyrraedd yr ysgol tua chwarter wedi wyth. f. Dw i'n mynd i'r ysgol tua wyth o'r gloch. g. Dw i'n gwneud fy ngwaith cartref tua hanner awr wedi pump.

READING (PART 1) (Page 137)

1. Answer the following questions about Hiroto: a. Japan b. About six o'clock c. His dad and younger brother d. About half past seven e. Until six f. About half past seven

2. Find the Welsh in Hiroto's text: a. a thua un ar ddeg b. gyda fy ffrindiau c. Dw i'n mynd ar fy meic d. dw i'n mynd i'r parc e. dw i'n cael cawod ac yn gwisgo f. Dw i ddim yn bwyta sushi g. Rhwng chwech a hanner awr wedi saith h. dw i'n gwneud gwaith cartref

3. Complete the statements about Andreas: a. 5.00 b. half past three c. fruit d. his mum and sister e. jogs f. plays games g. brushes his teeth and packs his bag

4. Find the Welsh in Coran's text: a. Dw i'n dod o Gaergybi b. dw i'n cael cawod c. efo fy nau frawd d. ymlacio ychydig e. reis a salad fel arfer f. Dw i'n syrffio'r we g. dw i'n cael swper

READING (PART 2) (Page 138)

1. Find the Welsh for the words in Yang's text: a. Dw i'n dod o Tsieina b. fy nhrefn ddyddiol c. dw i'n cael cawod d. yn syml iawn e. Am tua hanner awr wedi saith f. Dw i ddim yn bwyta llawer g. dw i'n gwylio ffilm h. ac yn mynd i'r ysgol i. dw i'n gwneud fy ngwaith cartref

2. Find the Welsh in Kim's text: a. dw i'n dod o Loegr b. Fel arfer c. tua hanner awr wedi pump d. gyda fy mam e. Dw i'n cyrraedd adref f. tua thri g. dw i'n cael swper h. dw i'n gorffwys i. dw i'n brwsio fy nannedd

3. Answer the following questions about Anna: a. She's Italian b. Quarter past six c. She surfs the internet, watches TV or reads magazines d. On the bus e. Her older sister f. About eleven o'clock g. Fruit or salad

4. Find someone who: a. Anna b. Anna c. Anna d. Kim e. Kim f. Kim g. Kim

WRITING (Page 139)

1. Split sentences: Dw i'n mynd i'r **ysgol ar y bws** Dw i'n gadael **y tŷ** Dw i'n brwsio **fy nannedd** Dw i'n gwylio'r **teledu** Dw i'n chwarae **ar y cyfrifiadur** Dw i'n codi tua **chwech o'r gloch y bore** Dw i'n mynd i'r gwely **cyn hanner nos** Dw i'n gwneud **fy ngwaith cartref**

2. Complete with the correct option: a. am b. cartref c. gwylio'r d. ar e. gwely f. mynd g. gadael h. ysgol

3. Spot and correct the grammar and spelling mistakes: a. ar b. am c. am d. 'n e. mynd f. 'r g. cael h. am

4. Complete the words: a. chwarter b. hanner c. mynd d. tua e. chwarae f. ugain g. wedyn h. cinio i. am ddeg o'r gloch j. am wyth o'r gloch

5. Write a paragraph for Dewi, Delyth and Siwan using FIRST person:

Dewi: Fy enw ydy Dewi. Dw i'n codi am hanner awr wedi chwech. Dw i'n cael cawod am saith o'r gloch. Dw i'n mynd i'r ysgol am bum munud wedi wyth. Dw i'n cyrraedd adref am hanner awr wedi tri. Dw i'n gwylio'r teledu am chwech o'r gloch. Dw i'n cael cinio am ddeg munud wedi wyth. Dw i'n mynd i'r gwely am ddeg munud wedi un ar ddeg.

Delyth: Fy enw ydy Delyth. Dw i'n codi am ugain munud i saith. Dw i'n cael cawod am ddeg munud wedi saith. Dw i'n mynd i'r ysgol am ugain munud i wyth. Dw i'n cyrraedd adref am bedwar o'r gloch. Dw i'n gwylio'r teledu am hanner awr wedi chwech. Dw i'n cael cinio am chwarter wedi wyth. Dw i'n mynd i'r gwely am ddeuddeg o'r gloch/hanner nos.

Siwan: Fy enw ydy Siwan. Dw i'n codi am chwarter wedi saith. Dw i'n cael cawod am hanner awr wedi saith. Dw i'n mynd i'r ysgol am wyth o'r gloch. Dw i'n cyrraedd adref am chwarter wedi tri. Dw i'n gwylio'r teledu am ugain munud i saith. Dw i'n cael cinio am ugain munud wedi wyth. Dw i'n mynd i'r gwely am hanner wedi un ar ddeg.

Revision Quickie 5 (Page 140)

1. Match up: sgarff – a scarf **siwt** – a suit **cap pêl-fas** – a baseball cap **tei** – a tie **sgert** – a skirt **ffrog** – a dress **crys t** – a T-shirt **crys** – a shirt **jîns** – jeans **sanau** – socks **trowsus** - trousers

2. Provide a word for each of the cues: a. afal b. tatws c. caws d. cyw iâr e. llaeth/llefrith f. lemonêd g. pwdin h. oren (Or any suitable answers)

3. Complete the translations: a. esgidiau b. het c. gwallt d. cyrliog e. gwyrdd f. llaeth g. dŵr h. yfed i. gwaith k. dillad

4. Categories: Dillad: crys, siwt, tei, het **Lliwiau:** glas, pinc, oren, coch **Bwyd:** cyw iâr, cig, caws, reis **Gwaith:** plymwr, cogydd, cyfreithiwr, athro

5. Match the questions and answers: Beth ydy dy hoff chwaraeon? – **Pêl-rwyd** Pa liw wyt ti'n hoffi? – **Glas** Pa gig dwyt ti ddim yn hoffi? – **Cig moch** Beth rwyt ti'n wisgo yn y gampfa fel arfer? – **Tracwisg** Beth ydy dy hoff bwnc? – **Cymraeg** Beth ydy dy hoff ddiod? – **Llaeth** Beth ydy dy hoff gêm? - **Gwyddbwyll**

6. Complete with hoffi, bwyta or gwisgo: a. hoffi b. gwisgo c. bwyta d. bwyta e. bwyta f. gwisgo

Revision Quickie 5 (Page 141)

7. Complete with the missing word: a. yfed b. hoffi, well c. mynd, chwarae d. gwneud e. bwyta f. gweithio, gweithio, ydw i g. caru h. codi

8. Time markers – Translate: a. Never b. Sometimes c. Always d. Every day e. Rarely f. Once a week g. Twice a week

9. Split sentences: Dw i'n dod ymlaen yn dda **efo fy mam.** Dw i ddim yn dod ymlaen **yn dda gyda fy nhad.** Mae fy rhieni yn **garedig.** Dw i'n caru **fy rhieni-cu.** Dw i'n hoff **iawn o fy chwaer.** Mae fy athro **celf yn llym.** Mae'n gas gen i fy ewythr **achos ei fod e'n gas.**

10. Complete the translation: a. swyddog tân b. gweithio, ydw i c. mynd d. gwylio'r e. Mae'n gas gen i f. llym g. i loncian

11. Translate into Welsh: a. Dw i'n chwarae tenis bob dydd. b. Dw i'n gwisgo siaced weithiau. c. Dw i'n mynd i'r gampfa yn aml. d. Dw i'n gwylio cartwnau o bryd i'w gilydd. e. Dw i byth yn codi am chwech y bore. f. Dw i'n cael cawod bob dydd.

VOCABULARY BUILDING (PART 1) (Page 144)

1. Match up: Dw i'n byw mewn – I live in a   **tŷ** – a house **fflat** – a flat **mawr** – big **newydd** – new **yn y cefn gwlad** – in the countryside **ardal** – area **brewswyl** - residential

2. Translate into English: a. I live in small and old house. b. I live in a big and new flat. c. My flat is on the outskirts. d. My house is in the countryside. e. My favourite room is my bedroom. f. I like the kitchen. g. I love working in the living room. h. I shower in the bathroom. i. I really like to relax in the garden.

3. Complete with the missing words: a. arfordir b. hoffi c. byw, bert d. ymlacio e. nhŷ, cyrion

4. Complete the words: a. tŷ b. hyll c. newydd d. hen e. mawr f. mewn g. yr arfordir h. y cyrion i. y gegin j. yr ardd k. y lolfa l. fy ystafell

5. Classify the words: Time phrases – a, c, j   **Nouns** – f, g, h, k, l, o   **Verbs** – b, n **Adjectives** – d, e, i m

6. Translate into Welsh: a. Dw i'n byw mewn hen fflat. b. Dw i'n byw mewn tŷ newydd. c. Yn nghanol y ddinas. d. Dw i'n hoffi ymlacio yn yr ystafell fyw. e. Dw i'n cael cawod yn yr ystafell ymolchi. f. Dw i'n byw mewn ardal breswyl. g. Fy hoff ystafell ydy'r gegin.

VOCABULARY BUILDING (PART 2) (Page 145)

1. Match up: Dw i'n byw mewn **fflat** wrth droed **mynydd** ar yr **arfordir** fflat **bert** yn y **cefn gwlad** ardal **breswyl** Dw **i'n ymlacio** yn yr **ardd**

2. Complete with the missing word: a. gweithio b. bert c. nghanol d. cyrion e. tŷ f. ardal g. ystafell h. ardd i. astudio j. Mae

3. Translate into English: a. I live in a small house. b. It's on the coast. c. A big but ugly flat d. It's in a residential area. e. In my house there are five rooms. f. I eat in the lounge. g. I like relaxing.

4. Broken words: a. ymlacio b. mynydd c. dref d. cawod e. ardd f. ystafell

5. 'Y' or 'Yr': a. yr b. y c. yr d. y e. y f. yr g. yr h. y i. y j. yr

6. Bad translation: a. I live in a house on the coast. b. My favourite room is the kitchen. c. I like relaxing in my bedroom d. I live in a flat in a residential area. e. I like my house because it is big and is beautiful. f. I like to work in the living room.

READING (Page 146)

1. Answer the following questions about Dafydd: a. Swansea b. big and pretty c. ten d. kitchen e. His bedroom f. On the mountain g. No because it's small

2. Find the Welsh in Megan's text: a. Mae fy nhŷ yng nghanol y dref b. dw i'n byw ar bwys c. dw i'n siarad Cymraeg a Saesneg d. ardd fawr e. hoff iawn o fwyta f. Mae fy ngheffyl yn byw yn yr ardd g. Dw i'n hoffi ymlacio h. Dw i'n hoffi gweithio yna

3. Find someone who: a. Arian b. Megan c. Dafydd d. Leanne e. Megan f. Arian g. Megan h. Dafydd

4. Find the Welsh in Arian's text: a. Dw i'n dod o Loegr b. Dw i'n codi am bump c. byw yn ymhell o'r ysgol d. Mae'r fflat yn hen iawn e. ac ychydig yn hyll f. ond dw i'n ei hoffi hi g. Weithiau, dw i'n darllen llyfrau

TRANSLATION (Page 147)

1. Gapped translation: a. outskirts b. big, a bit c. mountain d. city e. there are f. kitchen, ugly

2. Translate into English: a. The coast b. modern c. I live in a d. In the town centre e. In the city f. My favourite room g. I like relaxing h. I hate tidying

3. Translate into English: a. I live in a small flat b. My house is a modern but quite pretty c. My flat is an old but I like it d. We live in a house on the coast. e. In my house there are five rooms. f. My favourite room is my bedroom.

4. Translate into Welsh: a. Mawr b. Bach c. Cyrion d. Arfordir e. Ardal f. Preswyl g. Hyll h. Newydd i. Cyfoes j. Hen

5. Translate into Welsh: a. Dw i'n byw mewn tŷ bychan b. Yng nghanol y ddinas c. Yn fy nhŷ mae… d. Saith ystafell e. Fy hoff ystafell ydy… f. Y gegin g. Dw i'n hoffi ymlacio yn fy ystafell wely h. A dw i'n hoffi gweithio yn yr ystafell fyw i. Dw i'n byw mewn fflat fechan a hen j. Mewn ardal breswyl

Grammar Time 14 – BOD – Affirmative, Negative and Questions Part 1 (Page 149)

1. Complete with the correct pronoun: a. i b. nhw c. e/o d. nhw e. i f. ni g. hi

2. Write with the correct conjugation of BOD and verb: a. Mae hi'n dawnsio b. Dydy hi ddim yn chwarae c. Ydy e'n/o'n bwyta? d. Dydyn nhw ddim yn ysgrifennu e. Ydyn ni'n rhedeg? f. Dw i'n gwylio ffilmiau g. Rwyt ti'n nofio h. Dych chi'n nofio

3. Faulty translation: a. Mae **hi**'n cerdded mynyddoedd efo ffrindiau. b. Dyn **ni** ddim yn gwylio ffilmiau ar ddydd Sadwrn c. **Wyt** ti'n nofio yn y pwll am un o'r gloch? d. **Dydy** hi ddim yn chwarae rygbi gyda thîm e. Ydych **chi'n** ysgrifennu llythr ar ddydd Sul? f. Dydy **e/o** ddim yn rhedeg ras ar ddydd Sadwrn g. **Dyn** ni'n bwyta brecwast am naw o'r gloch. h. Dw i **ddim yn** dawnsio rhwng un a dau o'r gloch.

4. Translate into English: a. She is runing a race on Sunday b. Do they eat breakfast at ten o'clock? c. We don't play rugby with a team d. Are you dancing on Saturday at three o'clock? e. He doesn't watch films on Tuesday f. Do you swim in the pool at quarter past seven? g. They speak on the phone on Thursday about ten minutes to one.

Grammar Time 15 – More about questions! (Page 150)

1. Find the Welsh in James' text: a. am hanner awr wedi pump b. Dw i'n gwneud jiwdo c. ar ddydd Sadwrn d. Dydy fy ffrind Edward ddim e. Mae Edward yn hoffi f. achos ei fod e'n hwyl g. gyda chlwb ym Mhen-y-Bont h. chwarae rygbi i: gwneud jiwdo

2. Answer the following questions: Ydy or Nac ydy? a. Ydy b. Nac ydy c. Nac ydy d. Ydy e. Ydy

Grammar Time 15 (Page 151)

3. Find the Welsh in Sarah's text: a. achos ei fod o'n gyffrous b. Dw i'n hoffi mynd i siopa c. Dw i'n mynd i siopa efo fy ffrind d. Dydy Claire ddim yn hoffi e. Dw i'n hoffi f. Dyn ni ddim yn mynd i siopa ar ddydd Sul g. Mae hi'n hoffi mynd i siopa h. achos ei fod o'n ddiddorol i. rhwng naw o'r gloch a chwarter wedi tri

4. Answer the following questions about Sarah's text: a. Nac ydyn b. Ydyn c. Ydy d. Ydy e. Nac ydyn f. Ydy g. Nac ydyn

5. Translate into English: a. Does he watch television on Saturday? b. Do we speak Welsh with parents? c. Do you play cricket with a team? d. Do I wear glasses? e. Are you coming to the cinema at three o'clock? f. Do they eat breakfast with friends? g. Does Ioan like to go shopping?

6. Translate into Welsh: a. Wyt ti'n chwarae criced ar ddydd Sul? b.Ydy hi'n gwylio'r teledu gyda ffrindiau? c. Ydyn nhw'n hoffi mynd i siopa? d. Ydy e'n/o'n gwisgo het ar ddydd Sadwrn? e. Ydy Kevin yn dod i'r sinema am chwech o'r gloch? f. Ydych chi'n bwyta brecwast am hanner awr wedi wyth? g. Ydyn ni'n mynd i siopa ar ddydd Llun?

Unit 18 - Saying what I do at home
Grammar Time 16

VOCABULARY BUILDING (PART 1) (Page 154)

1. Match up: Dw i'n darllen comigs – I read comics **Dw i'n gwylio ffilmiau** – I watch movies **Dw i'n paratoi bwyd** – I prepare food **Dw i'n darllen cylchgronau** – I read magazines **Dw i'n gwisgo** – I get dressed **Dw i'n sgwrsio gyda** – I chat with **Dw i'n ymolchi** – I wash **Dw i'n cael cawod** – I have a shower

2. Complete with the missing words: a. gwisgo b. comigs c. sgwrsio d. gorffwys e. cawod f. paratoi g. mynd h. nannedd

3. Translate into English: a. Usually, I have a shower at 7.00am b. I never prepare food c. Usually, I read magazines in the class d. Around 7.00am, I have breakfast in the dining room e. Sometimes, I chat with my mum in the kitchen f. Sometimes, I have breakfast in the kitchen

4. Complete the words: a. cawod b. darllen c. sgwrsio d. paratoi e. uwchlwytho f. gwisgo

5. Classify: Time phrases – a, c, d, f, h **Rooms in the house** – b, g, k, **Things you do in the bathroom** – e, l **Free-time activities** - i, j

6. In which room would you complete these activities?: chwarae playstation – yn **yr ystafell gemau** gwylio'r teledu – yn **yr ystafell fyw** cael cawod – yn **yr ystafell ymolchi** gwneud fy ngwaith cartref – yn **fy ystafell wely** brwsio fy nannedd – yn **yr ystafell ymolchi** gorffwys – yn **fy ystafell wely**

VOCABULARY BUILDING (PART 2) (Page 155)

7. Complete the table: I get dressed – **Dw i'n gwisgo** I wash – **Dw i'n ymolchi** **I do my homework** – Dw i'n gwneud fy ngwaith cartref I upload pictures – **Dw i'n uwchlwytho lluniau** **I leave the house** – Dw i'n gadael y tŷ **I chat with my brother** – Dw i'n sgwrsio gyda fy mrawd I rest – **Dw i'n gorffwys**

8. Multiple choice: byth – never **weithiau** – sometimes **ystafell wely** - bedroom **dw i'n ymolchi** – I wash **cael cawod** – have a shower **dw i'n gorffwys** – I rest **gardd** – garden **cegin** – kitchen **chwarae** – play

9. Anagrams: a. byth b. cegin c. mynd d. darllen e. weithiau f. paratoi

10. Broken words: a. y ge**gin** b. by**th** c. wei**thiau** d. bob **amser** e. yn **aml** f. Dw i'n dar**llen**

11. Complete: a. Tua hanner awr wedi saith, dw i'n brwsio fy nannedd b. Tua chwarter wedi wyth, dw i'n cael brecwast c. Dw i'n paratoi bwyd d. Fel arfer, dw i'n gadael y tŷ am hanner awr wedi wyth e. Dw i'n darllen comigs yn anaml

12. Fill in the gaps: a. darllen b. brwsio c. gwylio d. darllen e. gwneud f. uwchlwytho g. gadael

READING (Page 156)

1. Answer the following questions about Fabian: a. Gibraltar b. A dog c. He goes to the gym and does sport d. He never does any sport e. In the living room f. His mum

2. Find the Welsh in Jasmine's text: a. dw i'n codi b. Yna dw i'n cael cawod c. Dw i'n gadael y tŷ d. ar y beic e. mynd ar-lein f. uwchlwytho fideos i TikTok g. o ddawnsiau newydd h. sgwrsio ac yn chwarae cardiau

3. Find someone who: a. Jasmine b. Jasmine c. Cai d. Cai e. Fabian f. Cai g. Jasmine h. Jasmine

4. Find the Welsh in Cai's text: a. Cymro ydy i b. Dw i bob amser yn codi'n gynnar c. Dw i ddim yn bwyta brecwast o gwbl d. mae fy chwaer Sara yn bwyta grawnfwyd e. yn yr ystafell fwyta f. yn yr ystafell fyw g. gwylio fideos TikTok

WRITING (Page 157)

1. Split sentences: Dw i'n chwarae **ar fy nghyfrifiadur** Dw i'n gorffwys **yn fy ystafell wely** Dw i'n paratoi **bwyd** Dw i'n uwchlwytho lluniau **i Instagram** Dw i'n gwneud **gwaith cartref** Dw i'n codi **yn gynnar** Dw i'n sgwrsio **gyda fy mam** Dw i'n brwsio **fy nannedd**

2. Complete with the corrcet option: a. bore b. yr ardd c. y lolfa d. ystafell wely e. bwyd f. brwsio g. gywlio h. mynd

3. Spot and correct the mistakes: a. Dw i'n **cael** cawod... b. gegin c. ...chwarae **ar** y cyfrifiadur d. Dw i'n gadael **y** tŷ... e. ... gwneud **gwaith** cartref f. gwylio g. ceffyl

4. Complete the words: a. brecwast b. gegin c. ystafell wely d. garej e. ystaell fwyta f. ystafell fyw g. Dw i'n gadael y tŷ h. ystafell ymolchi

5. Guided writing – write 3 short paragraphs in the first person (I):

Emlyn: Fy enw ydy Emlyn. Dw i'n codi am chwarter wedi chwech. Wedyn, dw i'n cael cawod yn yr ystafell ymolchi. Yna, dw i'n cael brecwast yn y gegin. Wedyn, dw i'n mynd i'r ysgol gyda fy mrawd. Ar ôl yr ysgol, dw i'n gwylio'r teledu yn yr ystafell fyw ac yn paratoi bwyd yn y gegin.

Ifan: Fy enw ydy Ifan. Dw i'n codi am hanner awr wedi saith. Wedyn, dw i'n cael cawod yn yr ystafell ymolchi. Yna, dw i'n cael brecwast yn yr ystafell fwyta. Dw i'n mynd i'r ysgol gyda fy mam. Ar ôl yr ysgol, dw i'n darllen llyfr yn fy ystafell wely ac yn sgwrsio gyda fy nheulu ar Skype.

Mared: Fy enw ydy Mared. Dw i'n codi am chwarter i saith. Wedyn, dw i'n cael cawod yn yr ystafell ymolchi. Yna, dw i'n cael brecwast yn yr ystafell fyw. Wedyn, dw i'n mynd i'r ysgol gyda fy ewythr. Ar ôl yr ysgol, dw i'n gwrando ar gerddoriaeth yn yr ardd ac yn uwchlwytho lluniau i Instagram.

Grammar Time 16 – BOD – Affirmative, Negatives and Questions (Part 2) (Page 158)

1. Complete with the correct pronoun: a. i b. nhw c. chi d. ni e. e/o f. ti g. ti h. hi i. hi

2. Complete with the missing conjugations of BOD: **I** – Dw i'n, Dw i ddim yn, ydw i'n? **you** *(sing)* – Rwyt ti'n, Dwyt ti ddim yn, Wyt ti'n? **he/she** – Mae e'n/o'n/hi'n, Dydy e/o/hi ddim yn, Ydy e'n/o'n/hi'n? **we** – Dyn ni'n, Dyn ni ddim yn, Ydyn ni'n? **you** *(pl)* – Dych chi'n, Dych chi ddim yn, Ydych chi'n? **they** – Maen nhw'n, Dydyn nhw ddim yn, Ydyn nhw'n?

3. Complete with the appropriate verb: a. gwylio b. darllen c. chwarae d. brwsio e. cael/bwyta f. gwrando g. paratoi/bwyta h. reidio i. mynd j. cael/bwyta k. chwarae l. cael/bwyta

4. Complete with the correct conjugation of BOD: a. Rwyt b. Mae c. Dydy d. Ydy e. Maen f. Dyn g. Ydych h. Dwyt i. Dw j. Dyn k. Dych

Grammar Time 16 (Page 159)

5. Faulty translation: a. They are... b. Are you *(pl)*... c. He doesn't... d. Do you *(sing)*... e. I don't...

6. Faulty translation: a. **Mae** John yn chwarae... b. Mae **e'n/o'n** gadael y tŷ... c. **Ydyn ni'n** darllen... d. **Dw i'n** gwylio... e. **Dwyt ti ddim** yn gwrando...

7. Spot the errors and correct: a. Mae **e'n/o'n** chwarae... b. **Maen** nhw'n hoffi... c. **Dydy** hi ddim yn gweithio... d. **Dwyt** ti ddim yn byw... e. Dw **i ddim yn** dal iawn f. Dwyt **ti ddim yn** chwarae... g. **Mae Gareth yn** hoffi gwylio h. Dych **chi** ddim yn gwisgo... i. Dydy Siân ddim **yn** hoffi...

8. Translate into English: a. I live in Swansea b. They don't like going to school c. Does he watch television with friends? d. When it is cold, I wear a jacket e. She plays basketball every day f. Are you going to the gym? g. We go to the beach often h. They come from Porthcawl

9. Translate into Welsh

a. Dyn ni'n codi am chwech o'r gloch fel arfer b. Dydy e/o byth yn darllen cylchgronau c. Yn aml, mae hi'n gwisgo am saith o'r gloch d. Weithiau, mae e'n/o'n gwylio ffilmiau e. Dyn ni ddim yn byw yn Nghasnewydd f. Wyt ti'n hoffi gwneud gwaith cartref? g. Mae hi'n sgwrsio gyda ffrindiau yn anaml. h. Unwaith yr wythnos, dydy e/o ddim yn chwarae Playstation

Unit 19 - My holiday plans
Revision Quickie 6
Question Skills 4

VOCABULARY BUILDING (Page 162)

1. Match up: Gwesty rhad – A cheap hotel

Bydda i'n aros mewn – I will stay in a   **Bydda i'n mynd i** – I will go to   **Bydda i'n treulio**– I will spend   **Bydda i'n** – I will   **Prynu anrhegion** – To buy presents   **Bydd yn hwyl** – It will be fun

Gwersyllfa – A campsite

2. Complete with the missing word: a. chysgu b. gorffwys c. Byddwn ni'n d. Bydda i'n e. Bydd yn f. treulio

3. Translate into English: a. During the summer I will go to Spain b. I will spend a fortnight there c. I will go to Italy in a plane d. We will go shopping e. We wil go into town f. I will play with friends g. We will eat and sleep

4. Broken words: a. Bwyta, chysgu b. Byddwn c. treulio d. Bydda e. traeth f. Mynd g. torheulo h. gyffrous

5. 'mynd', 'chwarae' or 'gwneud'? : a. mynd i b. mynd i c. chwarae d. mynd i   e. gwneud f. mynd i g. chwarae h. mynd i

6. Faulty translation: a. During the summer, we will... b. ...with my family   c. ...eat and sleep d. I will rest e. I will stay... f. ... a fortnight there g. We will go in a car and on a boat h. ...with my dad

READING (PART 1) (Page 163)

1. Find the Welsh in Bleddyn's text: a. Dw i'n dod o b. ond dw i'n byw yn c. Bydda i'n mynd mewn d. gyda fy nghariad e. Byddwn ni'n treulio f. bob dydd g. Fydda i ddim h. Mae'n well gen i dorheulo i. Fydda i ddim yn ymweld â'r atyniadau

2. Find the Welsh for the following in Diana's text: a. teithio ar long b. achos bod gen i lawer o amser c. Bydda i'n treulio d. Dw i wrth fy modd yn ddawnsio e. achos f. hefyd g. achos eu bod nhw'n ddiflas iawn h. Dw i'n dod o i. Yn ystod yr haf

3. Complete the following statements about Iestyn: a. Canada b. his wife c. England, Québec in Canada d. rest and read books e. cycle, eat delicious food

4. List any 7 details about Dani: a. Her name is Dani b. She is from Venice c. She will go on holiday on her own d. She will go to Mexico e. She will visit monuments, museums and art galleries f. She doesn't like sport a lot. g. She loves culture

5. Find someone who: a. Diana b. Dani c. Bleddyn d. Bleddyn e. Bleddyn

READING (PART 2) (Page 164)

1. Answer the following questions about Montserrat: a. She's from Barcelona b. She has a Tortoise c. She will go with her family d. They will stay in a luxurious hotel in Torremolinos e. It is a famous Moorish palace.

2. Find the Welsh in Josefina's text: a. yn ystod yr haf b. yng Ngogledd-Ddwyrain Sbaen c. o'r enw
d. eglwys gadeiriol e. wedi'i dylunio gan f. ychydig yn hyll g. Mae'r traeth yno h. toreheulo gyda'n
gilydd

3. Find someone who: a. Montserrat b. Freddie c. Freddie d. Montserrat e. Montserrat f. Josefina

4. Find the Welsh for the following phrases/sentences in Freddie's text: a. fy mrawd Bryn
b. adfeilion Inca c. bydda i'n gorffwys d. chwarae'r gitâr e. ein hoff grŵp f. cerddoriaeth roc

TRANSLATION/WRITING (Page 165)

1. Gapped translation: a. wyliau b. car c. treulio, yno d. Bydda i'n aros, rhad e. ni'n, chysgu, dydd
f. tywydd, bydda, traeth g, mynd i siopa

2. Translate into English: a. Eat b. Buy c. Rest d. Visit attractions/go sightseeing
e. Go to the beach f. Every day g. In a plane h. Go diving i. Go into town

3. Spot and correct the grammar and spelling mistakes: a. i'n b. Byddwn c. mewn d. ~~y~~
e. pêl-droed f. i'r dref g. mynd h. ffrindiau

4. Categories: Positive or Negative?: a. P b. N c. P d. P e. N f. P g. P

5. Translate into Welsh: a. Bydda i'n gorffwys. b. Bydda i'n mynd i ddeifio. c. Byddwn ni'n mynd
i'r traeth. d. Bydda i'n torheulo. e. Bydda i'n aros mewn… f. gwesty rhad g. Byddwn ni'n mynd.
h. Bydda i'n mynd mewn awyren.

Revision Quickie 6 (Page 166)

1. Match up: Yn yr ystafell fwyta – In the dining room **Ar gyrion y** – On the outskirts of
Yn y gegin – In the kitchen **Yn fy nhŷ** – In my house **Yn fy ystafell wely** – In my bedroom
Yn y gawod – In the shower **Yn yr ystafell ymolchi** – In the bathroom **Yn yr ardd** – In the garden
Yn yr ystafell fyw – In the living room

2. Complete with the missing words: a. cawod b. codi c. gwylio d. darllen e. gwisgo f. cyrraedd
g. mynd h. gadael

3. Spot and correct any of the sentences below which do not make sense: a. Dw i'n cael cawod **yn
yr ystafell ymolchi** b. Dw i'n cael cinio yn yr ystafell fwyta c. Dw i'n paratoi bwyd **yn y gegin**
d. Dw i'n golchi fy ngwallt **yn yr ystafell ymolchi** e. **Dw i'n mynd ir ysgol** ar y bws f. Dw i'n
chwarae ping pong **gyda fy ffrind** g. Mae'r soffa yn y lolfa h. Dw i'n gwylio'r teledu **yn yr ystafell
fyw** i. Dw i'n cysgu **yn fy ystafell wely** j. Dw i'n seiclo **yn y parc**

4. Match: gwneud **gwaith cartref** gwrando **ar gerddoriaeth** bwyta **bara** gwylio**'r teledu** mynd
i'r ysgol **ar y bws** mynd i Sbaen **mewn awyren** chwarae **pêl-droed** darllen **comigs** uwchlwytho
lluniau **i Intagram** cysgu **yn fy ystafell wely** yfed **coffi** mynd ar-lein **ar y cyfridiadur**

5. Match up the opposites: hyll – **golygus** da – **drwg** tal – **byr** mawr – **bach** blasus – **ych a fi**
hawdd – anodd caredig – cas diddorol – diflas iachus – afiach **aml** - anaml

Revision Quickie 6 (Page 167)

6. Complete with missing words: a. mewn b. gyda c. yn d. gen e. mewn f. yr g. i

7. Draw a line in between each word: a. Dw i'n hoffi chwarae pêl-fasged lawer b. Dw i'n gwrando ar
gerddoriaeth yn aml c. Yn fy amser sbâr dw i'n chwarae gemau fideo d. Dw i'n mynd i'r Almaen
mewn car e. Bydda i'n aros mewn gwesty rhad f. Yn y bore bydda i'n mynd i'r traeth g. Bydda i'n
prynu anrhegion ar ddydd Sadwrn

8. Faulty translation: a. I get up early b. I hate basketball c. I will go to the swimming pool d. We will do nothing e. I will swim f. I will go in a car g. I will stay in a luxurious hotel

9. Translate into English: a. I'm going in a plane. b. We will go. c. I will stay. d. I wash (myself) e. I'm watching a Netflix series. f. I'm tidying my bedroom. g. I have vegetables for lunch. h. Breakfast eggs

10. Translate into Welsh: a. Dw i'n cael cawod yna dw i'n cael brecwast. b. Yfory, bydda i'n mynd i Siapan. c. Dw i'n tacluso fy ystafell bob dydd. d. Dw i byth yn chwarae pêl-fasged. e. Dw i'n codi'n gynnar. f. Dw i'n bwyta llawer i frecwast. g. Bydda i'n mynd i'r Eidal mewn car. h. Yn fy amser sbâr, dw i'n chwarae gwyddbwyll ac yn darllen llyfrau.

11. Translate into Welsh: a. mynd b. gwylio c. gwneud d. tacluso e. darllen

Question Skills 4 (Page 168)

1. Complete the questions with the correct option: a. Pryd b. Beth c. Ble d. Faint e. Oes f. Pam g. Gyda h. Pa

2. Match: Gyda phwy wyt ti'n chwarae pêl-droed? **Pam** rwyt ti'n casáu tacluso dy ystafell wely? **Oes** teledu yn y gegin? **Beth** ydy dy hoff ffilm? **Ble** mae'r ystafell fwyta? **Pam** rwyt ti'n aros gartref? **Faint** o amser wyt ti'n treulio ar-lein? **Pryd** dych chi'n mynd i Ffrainc? **Pa** gemau wyt ti'n chwarae ar y cyfrifiadur?

3. Match each statement below to one of the questions included in activity 1 above: 1. e 2. h 3. b 4. a 5. g 6. c 7. d 8. f

4. Translate into Welsh: a. Pwy? b. Pryd? c. Gyda phwy? d. Pam? e. Sawl? f. Faint? g. Pa un? h. Ble? i. Wyt ti'n gwneud…? j. Wyt ti'n gallu…? k. Ble mae…? l. Faint o bobl? m. Sut?

5. Translate into Welsh: a. Ble mae dy ystafell? b. Ble rwyt ti'n mynd ar ôl (*yr*) ysgol? c. Beth rwyt ti'n wneud yn dy amser sbâr? d. Faint o'r gloch rwyt ti'n mynd i'r gwely? e. Faint o amser wyt ti'n treulio ar-lein? f. Beth ydy dy hoff gêm fideo?

VOCABULARY TESTS

UNIT 1: "Talking about age" (Page 170)

1a. 1. Fy enw ydy Sharon 2. Fy enw ydy Pedr 3. Dw i'n un deg tri
4. Dw i'n bump 5. Dw i'n saith 6. Dw i'n naw 7. Dw i'n ddeg 8. Dw i'n un
deg un 9. Dw i'n un deg dau 10. Fy enw ydy Gareth a dw i'n ddeg

1b. 1. Enw fy nhad ydy Steffan 2. Enw fy mam ydy Llinos 3. Enw fy mrawd ydy Martin 4. Mae fy
chwaer yn un deg pedwar 5. Mae fy mrawd yn un deg pump 6. Mae Dewi'n un deg un 7. Fy enw ydy
Siôn 8. Enw fy mrawd ydy Phillip ac mae e'n/o'n ddeg 9. Mae e'n/o'n wyth 10. Mae hi'n bump

UNIT 2: "Saying when birthdays are" (Page 171)

1a. 1. Fy enw ydy Steffan 2. Dw i'n un deg un 3. Dw i'n un deg pump 4. Dw i'n un deg wyth
5. Mai 3 6. Ebrill 4 7. Mehefin 5 8. Medi 6 9. Hydref 10 10. Gorffennaf 8

1b. 1. Dw i'n un deg saith. Mae fy mhen-blwydd ar Fehefin 21 2. Enw fy mrawd ydy Ioan. Mae
e'n/o'n un deg naw 3. Enw fy chwaer ydy Mari. Mae hi'n ddau ddeg dau 4. Mae pen-blwydd fy
mrawd ar Fawrth 23 5. Fy enw ydy Gareth. Dw i'n un deg pump. Mae fy mhen-blwydd ar Fehefin 27
6. Fy enw ydy Greg. Dw i'n un deg wyth. Mae fy mhen-blwydd ar Fehefin 30 7. Enw fy chwaer ydy
Carys. Mae hi'n dod o Aberystwyth 8. Mae e'n/o'n dod o Abertawe 9. Enw fy mrawd ydy Padrig.
Mae ei ben-blwydd ar Ionawr 31 10. Dw i'n dod o Abergele

UNIT 3: "Describing hair and eyes" (Page 172)

1a. 1. Gwallt du 2. Llygaid brown tywyll 3. Gwallt golau 4. Llygaid glas 5. Fy enw ydy Rhiannon 6.
Dw i'n un deg dau 7. Mae gen i wallt hir 8. Mae gen i wallt byr 9. Mae gen i lygaid gwyrdd 10. Mae
gen i lygaid brown

1b. 1. Mae gen i wallt brown a llygaid brown 2. Mae gen i wallt coch, syth 3. Mae gen i wallt du,
cyrliog 4. Mae gen i wallt coch a llygaid glas 5. Dw i'n gwisgo sbectol ac mae gen i wallt pigog
6. Dw i ddim yn gwisgo sbectol ac mae gen i farf 7. Mae ganddo fe/fo wallt golau ac mae e'n/o'n
gwisgo het 8. Mae fy mrawd yn ddau ddeg dau ac mae ganddo fe/fo wallt byr 9. Mae hi'n gwisgo
sbectol haul 10. Mae gan fy chwaer lygaid glass a gwallt du a thonnog

UNIT 4: "Saying where I live and am from" (Page 173)

1a. 1. Fy enw ydy 2. Dw i'n dod o 3. Dw i'n byw mewn 4. Mewn tŷ 5. Mewn pentref
6. Mewn fflat 7. Ar y cyrion 8. Yng nghanol y dref 9. Ar lan y môr 10. O Gaerdydd

1b. 1. Enw fy mrawd ydy Bleddyn 2. Enw fy chwaer ydy Arwen 3. Dw i'n byw mewn hen adeilad
4. Dw i'n byw mewn adeilad modern 5. Dw i'n byw mewn tŷ hardd ar lan y môr 6. Dw i'n byw
mewn tŷ hyll yng nghanol y dref 7. Dw i'n dod o Gaerdydd ond dw i'n byw yng nghanol Abertawe
8. Dw i'n un deg pump. Cymro ydw i. 9. Cymro ydw i, o Aberystwyth, ond dw i'n byw yn Puerto
Madryn, Ariannin 10. Dw i'n byw mewn tŷ bychan yn y cefn gwlad

UNIT 5: "Talking about my family / numbers 1-100" (Page 174)

1a. 1. Fy mrawd bach 2. Fy mrawd mawr 3. Fy chwaer fawr 4. Fy chwaer fach 5. Fy nhad 6. Fy mam 7. Fy ewythr 8. Fy modryb 9. Fy nghefnder 10. Fy ngyfnither

1b.1. Yn fy nheulu, mae gen i bedwar o bobl 2. fy nhad, fy mam a fy mrawd 3. Dw i ddim yn dod ymlaen yn dda gyda fy mrawd mawr 4. Fy chwaer fawr, Claire. Mae hi'n ddau ddeg dau 5. Fy chwaer fach, Sioned. Mae hi'n un deg chwech 6. Dw i'n dod ymlaen yn dda gyda fy nhad-cu/nhaid. Mae e'n/o'n saith deg wyth 7. Dw i'n dod ymlaen yn dda gyda fe/fo 8. Dw i ddim yn dod ymlaen yn dda gyda hi 9. Mae fy modryb yn bedwar deg pedwar 10. Mae fy nghyfnither yn un deg saith

UNIT 6: "Describing myself and my family members'' (Page 175)

1a 1. Dw i'n dal 2. Dw i'n fyr 3. Dw i'n hyll 4. Dw i'n olygus 5. Dw i'n hael 6. Dw i'n ddiflas 7. Dw i'n ddeallus 8. Dw i'n gryf 9. Dw i'n dda 10. Dw i'n ddoniol

1b 1. Mae fy mam yn garedig ac yn glyfar 2. Mae fy nhad yn styfnig ac yn anghyfeillgar 3. Mae fy chwaer hŷn yn ddeallus ac yn amyneddgar 4. Mae fy chwaer iau yn bert 5. Yn fy nheulu, mae gen i bump o bobl 6. Dw i'n dod ymlaen gyda fy chwaer hŷn. Mae hi'n garedig 7. Dw i ddim yn dod ymlaen gyda fy mrawd iau. Mae e'n/o'n styfnig 8. Mae fy nhad-cu/taid a fy mamgu/nain yn ddoniol ac yn hael. 9. Mae fy ffrind, Dafydd, yn gryf ac yn glyfar 10. Mae fy ewythr yn bum deg ac dw i ddim yn dod ymlaen yn dda gyda fe/fo.

UNIT 7: "Talking about pets" (Page 176)

1a. 1. pengwin 2. cwningen 3. ci 4. crwban y môr 5. aderyn 6. parot 7. hwyaden 8. mochyn cwta 9. cath 10. llygoden

1b. 1. Mae gen i gi 2. Mae gen i grwban y môr ac mae e'n/o'n wyrdd 3. Gartref, mae gen i dri pysgodyn. 4. Mae gan ffrind fy chwaer neidr 5. Does gen i ddim cath 6. Mae gan fy ffrind, Pedro, aderyn, ac mae e'n/o'n las 7. Does gen i ddim ceffyl 8. Mae gen i neidr o'r enw Adam 9. Mae fy hwyaden yn ddoniol ac yn hyll 10. Mae fy mochyn cwta yn ddeallus

UNIT 8: "Talking about jobs" (Page 177)

1a. 1. Cogydd ydy fy nhad 2. Swyddog tân ydy fy mam 3. Athro ydy fy ewythr 4. Ffermwr ydy fy mrawd 5. Menyw fusnes ydy fy chwaer 6. Meddyg ydy fy modryb i 7. Nyrs ydy fy mrawd hŷn 8. Dydy e/o ddim yn hoffi'r gwaith 9. Dydy hi ddim yn hoffi'r gwaith 10. Mae hi'n gweithio mewn gwesty

1b 1. Mae e'n/o'n gweithio yn y cefn gwlad 2. Nyrs ydy fy mam 3. Mae fy modryb yn gweithio mewn swyddfa 4. Mae fy chwaer yn gweithio mewn ysgol 5. Actores ydy fy modryb 6. Mecanydd ydy fy nghefnder 7. Cyfreithwraig ydy fy nghyfnither 8. Dydy e/o ddim yn hoffi'r gwaith achos ei fod e'n/o'n anodd 9. Mae e'n/o'n hoffi'r gwaith achos ei fod /o'n ddiddorol 10. Mae e'n casáu'r gwaith achos ei fod e'n/o'n ail-adroddus

UNIT 9: "Comparing people" (Page 178)

1a. 1. Mae e'n/o'n fwy diflas na fi 2. Mae e'n/o'n fwy caredig na hi 3. Mae hi'n llai gweithgar na fe/fo 4. Mae e'n/o'n fwy main na hi 5. Mae hi'n fwy golygus na fe/fo 6. Mae hi'n llai difrifol na fi 7. Dw i mor ddoniol â fe/fo 8. Mae fy chwaer mor dawel â fi 9. Mae fy rhieni mor ddoniol â fi 10. Mae fy nhad mor gyfeillgar â fy mam

1b. 1. Mae fy mrawd yn gryfach na f1i 2. Mae fy mam yn dalach na fy nhad 3. Mae fy ewythr yn fwy golygus na fy nhad 4. Mae fy chwaer hŷn yn fwy deallus na fy chwaer iau 5. Mae fy chwaer yn dalach na fy nghefnder 6. Mae fy nhad-cu/nhaid yn llai diog na fy mam - gu/nain 7. Mae fy ffrind Pedr yn fwy cyfeillgar na fy ffrind Padrig 8. Mae fy chwaer yn fwy tawel na fy mrawd 9. Mae fy nhad yn fwy siaradus na fy mrawd 10. Mae fy mrodyr yn fwy drwg na fi

UNIT 10: "Talking about what is in a schoolbag" (Page 179)

1a. 1. Mae gen i ben/feiro 2. Mae gen i bren mesur 3. Mae gen i rwber 4. Mae gen i fag 5. Yn fy nosbarth 6. Mae gan fy ffrind Padrig 7. Does gan fy ffrind Dafydd ddim 8. Does gen i ddim 9. Llyfr ysgrifennu coch 10. Naddwr melyn

1b. 1. Yn fy mag mae gen i lyfr 2. Mae gen i bensil melyn 3. Mae gen i rwber coch 4. Does gen i ddim pen du 5. Mae gen i ben glas 6. Mae gan fy ffrind Rhodri naddwr 7. Dw i angen glud 8. Dw i ddim angen geiriadur 9. Does dim papur 10. Yn fy mag mae gen i gyfrifianell

UNIT 11: " Talking about food" – Part 1 (Page 180)

1a. 1. Dw i ddim yn hoffi llaeth/llefrith 2. Dw i'n dwlu ar gig 3. Dw i ddim yn hoffi pysgod lawer 4. Mae'n gas gen i gyw iâr 5. Dw i'n eithaf hoffi reis 6. Dw i'n hoffi caws achos ei fod e'n flasus 7. MAe'n well gen i ddŵr 8. Dw i ddim yn hoffi llaith/llefrith achos ei fod e'n ych a fi 9. Mae'n well gen i siocled achos ei fod e'n felys 10. Dw i'n hoffi cyw iâr achos ei fod e'n llawn fitaminau

1b. 1. Dw i'n dwlu ar siocled achos ei fod e'n flasus 2. Dw i'n hoffi afalau lawer achos eu bod nhw'n iachus 3. Dw i ddim yn hoffi cig coch achos ei fod e'n afiach 4. Dw i ddim yn hoffi byrgyrs achos eu bod nhw'n afiach 5. Dw i'n dwlu ar bysgod a tatws 6. Mae'n gas gen i gorgimychiaid achos eu bod nhw'n ych a fi 7. Dw i'n hoffi ffrwythau achos eu bod nhw'n iachus ac flasus 8. Dw i'n hoffi cyw iâr a llysiau 9. Dw i'n hoffi wyau achos eu bod nhw'n llawn protein 10. Mae cyw iâr yn fyw blasus na pysgod

UNIT 12: "Talking about food" - Part 2 (Page 181)

1a. 1. Amser brecwast, dw i'n bwyta 2. Amser cinio, dw i'n bwyta 3. Dw i'n yfed 4. paned o 5. tafell o 6. sbeislyd 7. ych a fi 8. achos mae'n felys 9. achos mae'n galed 10. ysgafn

1b. 1. Amser brecwast, dw i'n bwyta wyau a coffi 2. Amser cinio, dw i'n bwyta ychydig o diwna 3. Dw i'n yfed paned o goffi 4. Amser te, dw i'n bwyta cyw iâr rhost gyda reis a tatws 5. Amser swper, dw i'n bwyta llawer o bice ar y maen 6. Dw i'n hoffi cig achos ei fod e'n flasus 7. Dw i'n hoffi llawer o salad achos ei fod e'n iachus 8. Amser swper, dw i'n bwyta siocled achos ei fod e'n felys 9. Dw i'n eithaf hoffi cig a pysgod 10. Dw i ddim yn hoffi selsig achos eu bod nhw'n olewog

UNIT 13: "Describing clothes and accessories" (Page 182)
1a. 1. sgert goch 2. siwt las 3. sgarff werdd 4. trowsus du 5. crys gwyn 6. het frown 7. crys t melyn 8. jîns glas 9. tei coch 10. esgidiau llwyd

1b. 1. Yn aml dw i'n gwisgo cap pêl-fas du 2. Gartref, dw i'n gwisgo tracwisg las 3. Yn yr ysgol, dw i'n gwisgo gwisg ysgol werdd 4. Ar y traeth dw i'n gwisgo gwisg nofio goch 5. Mae fy chwaer yn gwisgo jîns 6. Mae fy mrawd yn gwisgo oriawr 7. Mae fy mam yn gwisgo siaced chwaraeon 8. Dw i bob amser yn gwisgo siwt 9. Mae fy nghariad yn gwisgo ffrog bert 10. Fel arfer, mae fy mrawd yn gwisgo esgidiau hyfforddi

UNIT 14: "Talking about free time" (Page 183)
1a. 1. Dw i'n gwneud gwaith cartref 2. Dw i'n chwarae pêl-droed 3. Dw i'n dringo
4. Dw i'n mynd i feicio 5. Dw i'n loncian 6. Dw i'n mynd i'r pwll nofio 7. Dw i'n gwneud chwaraeon 8. Dw i'n marchogaeth 9. Dw i'n chwarae tenis 10. Dw i'n mynd i'r traeth

1b. 1. Dw i'n chwarae pêl-fasged yn anaml achos ei fod e'n ddiflas 2. Dw i'n chwarae PlayStation gyda fy ffrindiau 3. Dw i'n mynd i bysgota yn aml. 4. Dw i'n mynd i'r gampfa bob dydd 5. Dw i'n codi pwysau a dw i'n loncian bob dydd 6. Dw i'n mynd i'r parc pan mae'r tywydd yn dda 7. Dw i'n chwarae gwyddbwyll pan mae'r tywydd yn wael 8. Mae e'n/o'n mynd i nofio unwaith yr wythnos 9. Mae fy mrawd iau yn mynd i'r parc weithiau 10. Dw i'n dringo neu yn mynd i dŷ fy ffrind yn fy amser sbâr

UNIT 15: "Talking about weather and free time" (Page 184)
1a. 1. Pan mae'r tywydd yn dda/braf 2. Pan mae'r tywydd yn wael 3. Pan mae'n heulog 4. Pan mae'n oer 5. Pan mae'n boeth 6. Dw i'n mynd i dŷ fy ffrind 7. Dw i'n chwarae gyda/efo fy ffrindiau 8. Dw i'n mynd i'r ganolfan siopa 9. Dw i'n mynd i'r gampfa 10. Dw i'n mynd i feicio

1b. 1. Pan mae'r tywydd yn dda, dw i'n mynd i loncian 2. Pan mae'n bwrw glaw, dw i'n mynd i'r ganolfan hamdden ac yn codi pwysau 3. Ar y penwythnos, dw i'n gwneud gwaith cartref ac yn nofio 4. Pan mae'n boeth, mae hi'n mynd i'r traeth neu'n seiclo 5. Pan mae gen i amser, dw i'n mynd i loncian gyda fy nhad 6. Pan mae'nstormus, dyn ni'n aros gartef ac yn chwarae cardiau 7. Pan mae'n heulog ac yn glir, maen nhw'n mynd i'r parc 8. Ar ddydd Gwener a dydd Sadwrn, dw i'n mynd i glybio gyda fy nghariad 9. Weithiau dyn ni'n gwneud chwaraeon. Weithiau dyn ni'n chwarae ar y cyfrifiadur 10. Pan mae'n bwrw eira, dyn ni'n mynd i'r mynydd ac yn sgïo

UNIT 16: "Talking about daily routine" (Page 185)
1a. 1. Dw i'n codi 2. Dw i'n cael brecwast 3. Dw i'n gwisgo 4. Dw i'n cael cawod 5. Dw i'n mynd i'r ysgol 6. Tua chwech o'r gloch 7. Dw i'n gorffwys 8. Am hanner dydd 9. Am hanner nos 10. Dw i'n gwneud fy ngwaith cartref

1b. 1. Rhwng chwech a saith o'r gloch y bore, dw i'n cael brecwast 2. Dw i'n cael cawod ac wedyn dw i'n gwisgo 3. Dw i'n bwyta ac wedyn dw i'n brwsio fy nannedd 4. Tua wyth o'r gloch gyda'r nos, dw i'n cael cinio 5. Dw i'n mynd i'r ysgol ar y bws 6. Dw i'n gwylio'r teledu am dri o'r gloch 7. Dw i'n mynd adref am hanner awr wedi pedwar 8. Rhwng chwech a saith o'r gloch, dw i'n chwarae ar y cyfrifiadur 9. Wedyn, tua hanner awr wedi un ar ddeg, dw i'n mynd i'r gwely 10. Fy nhrefn ddyddiol

UNIT 17: "Describing houses" (Page 186)
1a. 1. Dw i'n byw 2. Mewn tŷ newydd 3. Mewn tŷ cyfoes 4. Mewn tŷ bychan 5. Mewn tŷ mawr
6. Ar yr arfordir 7. Wrth droed mynydd 8. Mewn fflat hyll 9. Ar y cyrion 10. Yng nghanol y ddinas

1b. 1. Yn fy nhy mae pedair ystafell wely 2. Fy hoff ystafell ydy'r gegin 3. Dw i wrth fy modd yn ymlacio yn yr ystafell fyw 4. Yn fy fflat mae saith ystafell 5. Mae fy rhieni yn byw mewn tŷ mawr
6. Mae fy ewythr yn byw mewn tŷ bychan 7. Dyn ni'n byw ar yr arfordir 8. Mae fy ffrind Paco yn byw ar fferm 9. Mae fy nghyfnither yn byw ym Mhorthmadog 10. Mae fy rhieni a fi yn byw mewn tŷ mawr.

UNIT 18: "Talking about my home life" (Page 187)
1a. 1. Dw i sgwrsio gyda/efo fy mam 2. Dw i'n chwarae PlayStation 3. Dw i'n darllen cylchgronau 4. Dw i'n darllen comigs 5. Dw i'n gwylio ffilmiau 6. Dw i'n gwrando ar gerddoriaeth 7. Dw i'n gorffwys 8. Dw i'n gwneud fy ngwaith cartref 9. Dw i'n reidio fy meic 10. Dw i'n gadael y tŷ

1b. 1. Dw i'n tacluso fy ystafell yn anaml   2. Dw i'n helpu fy rhieni bob amser 3. Dw i'n brwsio fy nannedd yn aml 4. Dw i'n uwchlwytho lluniau i Instagram 5. Bob dydd, dw i'n gwylio cyfres ar Netflix 6. Dw i'n cael brecwast tua hanner awr wedi saith 7. Ar ôl yr ysgol, dw i'n gorffwys yn yr ardd 8. Pan mae gen i amser, dw i'n chwarae gyda fy mrawd 9. Fel arfer, dw i'n gadael y tŷ am wyth o'r gloch 10. Bob dydd, dw i'n gwylio ffilm

UNIT 19: "My holiday plans" (Page 188)
1a. 1. Bydda i'n mynd 2. Bydda i'n aros 3. Bydda i'n chwarae 4. Bydda i'n bwyta 5. Bydda i'n mynd i siopa 6. Bydda i'n gorffwys 7. Bydda i'n mynd i ymweld â'r atyniadau 8. Bydda i'n mynd i'r traeth 9. Bydda i'n gwneud chwaraeon 10. Bydda i'n dawnsio

1b. 1. Byddwn ni'n prynu anrhegion a dillad 2. Bydda i'n aros mewn gwesty rhad ar yr arfordir
3. Byddwn ni'n treulio wythnos yno 4. Bydda i'n treulio pythefnos yno gyda/efo fy nheulu
5. Byddwn ni'n mynd ar wyliau i'r Ariannin mewn awyren 6. Byddwn ni'n mynd i Alberta. Byddwn ni'n treulio wythnos yno. 7. Bydda i'n gwneud chwaraeon, mynd i'r y traeth, ac dawnsio
8. Byddwn ni'n treulio pythefnos yn yr Alban, byddwn ni'n aros mewn gwersyllfa.
9. Byddwn ni'n aros mewn gwesty moethus a bydd yn gyffrous 10. Byddwn ni'n ymweld â'r atyniadau a mynd i siopa a bydd yn ymlaciol.

Printed in Great Britain
by Amazon